AULA 2

Recursos gratis para estudiantes y profesores

campus difusión

AULA 2 ● A2

CURSO DE ESPAÑOL NUEVA EDICIÓN

Autores: Jaime Corpas, Agustín Garmendia, Carmen Soriano

Coordinación pedagógica: Neus Sans

Coordinación editorial y redacción: Pablo Garrido, Núria Murillo, Paco Riera

Diseño: Besada+Cukar

Maquetación: Besada+Cukar, Enric Font

Ilustraciones: Alejandro Milà **excepto:** Roger Zanni (pág. 37, pág. 38, pág. 42, pág. 48, pág. 53, pág. 61 -situaciones 2 y 6-, pág. 89, pág. 101, pág. 102, pág. 103, pág. 110 -dolores-, pág. 133, pág. 134, pág. 137, pág. 139, pág. 142, pág. 145, pág. 158, pág. 165), Javier Andrada (pág. 61 -situaciones 1, 4 y 5) y Paco Riera (pág. 66)

Fotografías: Sandro Bedini **excepto: agenda** pág. v Anilah/Dreamstime; **unidad 1** pág. 10 Difusión, Rocío Santander, pág. 11 Elena Eliseeva/Photaki pág. 12 kurtxio/Flickr, pág. 13 Lisa F. Young/Dreamstime, Raquel Sagarra, Saul Tiff, pág. 14 fotoedu/Photaki, Goldenkb/Dreamstime, Paco Ayala/Photaki, pág. 19 Anna Domènech, pág. 20 www.cartelespeliculas.com, Pablo Picasso, VEGAP, Barcelona (2004) El Piano, images_edse.epochtimes.de, lugaresquever.blogspot.com, oci.diaridegirona.cat, www.fanpix.net, pág. 21 www.sinembargo.mx, www.puntodelectura.com, blog.moodmedia.com; **unidad 2** pág. 22 reddit.com, pág. 23 confidencialcolombia.com, Dovidena del Campo/Wikimedia Commons, George Stroud/Getty Images/Album, sportlife.es/Araceli Segarra, cinemaartscentre.org, Time Life Pictures/Getty Images, pág. 25 Sogecine/Himenoptero/UGC Images/Eyescreen/Album, academiadelcine.com, coveralia.com, pág. 26 Czanner/Dreamstime, Núria Murillo, Rui Vale De Sousa/Dreamstime, Francisco José González/Photaki, Martin Novak/Dreamstime, pág. 27 Soyazur/Istockphoto, pág. 30 Focus Features/Album, Album/akg-images, pág. 32 ecartelera.com, formulatv.com, Carlos Alvarez/Getty Images, pág. 33 Pablo Blázquez Domínguez/Getty Images; **unidad 3** pág. 34 topmusicrd.com, paparazzos.com, pág. 35 gerberbabycontest.net, kootation.com, www.vettri.net, www.heraldo.es, images.mujerdeelite.com, www.diariofemenino.com, pág. 36 Tihis/Dreamstime, Diana Dimitrova/123rf, Wavebreakmediamicro/Dreamstime, Vladislav Lebedinskiy/Dreamstime, Tonylivingstone/Dreamstime pág. 39 Cristina Domènech, pág. 40 Difusión, pág. 43 www.celebs101.com, Difusión, pág. 44 Maria Dubova/Dreamstime, Scott Griessel/123rf, Josep Maria suria ribera/Photaki, Fidel Álvarez Pérez, Carles Torres, Difusión; **unidad 4** pág. 46 sasel77/Fotolia, igmarx/Istockphoto, pág. 47 José Ramón Pizarro/Photaki, Manolo Guerrero/Photaki, Marc Guillen, Paco Ayala/Photaki, pág. 48 Andres Rodriguez/Dreamstime, Justforever/Dreamstime, Arenacreative/Dreamstime, pág. 49 Marc Guillen, pág. 51 Miguel Ángel López Moreira/Photaki, pág. 54 Difusión, Marko Matovic, Yordan Rusev/Dreamstime, DonNichols/Istockphoto, pág. 55 Oratio Laguardia/Photaki, Núria Murillo, pág. 56 Alexandre Fagundes De Fagundes/Dreamstime, eclectictrends.com, pág. 57 Casa museo Manuel de Falla/Ayuntamiento de Granada; **unidad 5** pág. 60 Marc Guillen, pág. 62 Marc Guillen, online.apanymantel.com, Ekaterina Semenova/Dreamstime, Marc Guillen, pág. 66 Difusión, pág. 68 Rowanwindwhistler/Wikimedia Commons, doingmadrid.com, pág. 69 imagenesdebarcelona.com; **unidad 6** pág. 73 Luciano Mortula/Dreamstime, Raquel Sagarra, Jarnogz/Dreamstime, Núria Murillo, pág. 74 Aniram/Dreamstime, Enrique Gómez/Dreamstime, pág. 76 Giam_flickr, verbiclara.wordpress.com, eurobanks/Istockphoto, p. 79 Ed Francissen/Dreamstime, Bert Kaufmann/Flickr, César Acebal/Flickr, p. 80 soclega/Flickr, Irakite /Dreamstime.com, pág. 81 Olaf Speier/Dreamstime.com; **unidad 7** pág. 84 Difusión, Pat Herman, Nick Lobeck, David Eisenberg, Erik Dungan, pág. 85 Difusión, p. 86 JJAVA/Fotolia, onnoth/Flickr, pág. 87 Antonio Guillem/Photaki, KarSol/Photaki, p. 90 Granel Gràcia, Nikolay Pozdeev/Dreamstime, Dimjul/Dreamstime, p. 92 Photopips/Dreamstime, www.delicatessenantonio.es, www.delicatessenantonio.es, jamones.uvinum.es, www.mosela.es, Stable400/Dreamstime, www.alimentosdemurcia.com, KarSol/Photaki, Luis Carlos Jiménez/Photaki, p. 93 www.viajejet.com, www.verema.com, domadrid.info, webos fritos/Flickr, Bonzami Emmanuelle/Photaki, www.quelujo.es, Xavigivax/Wikimedia Commons, comecommmida.wordpress.com; **unidad 8** pág. 96 Vanessak/Dreamstime, Aquarium San Sebastián, Robert./Flickr, Difusión, viamagna.es, pág. 97 revistavortice.wordpress.com, punto de lectura, warnerbros.com.mx, pág. 98 Pabkov/Dreamstime, pág. 99 Difusión, pág. 100 Photopips/Dreamstime, Leesniderphotoimages/Dreamstime, woraput/Istockphoto, pág. 103 Alberto Racatumba/Flickr, pág. 104 ephotozine.com, James Wilson/Flickr, Anouchka Unel/Wikimedia Commons, danielpgauer/Flickr, Maria Teresa Weinmann/Dreamstime; **unidad 9** pág. 106 y 107 Thymus 001/Wikimedia commons, pág 107 Difusión, www.topbellezanatural.es, pág. 108 Luissantos84/Dreamstime, Liliia Rudchenko/123rf, Sergey Novikov/123rf, Stasvolik/Dreamstime, Radu Razvan/123rf, pág. 111 Aan Lichtbak toevoegen/123rf, pág. 112 Juan Pablo Olmo/Flickr, Gomni/Flickr, Heike Rau/Fotolia, pág. 115 Godfer/Dreamstime, Canettistock/Dreamstime, Rixie/Dreamstime, pág. 116 Ryan McVay/Thonkstock, Andrés Rodríguez/Dreamstime, Willtron/Flickr; **MÁS EJERCICIOS** pág. 123 M. Belver, Eduardo Cesario, COVER, Elvele Images/Alamy, Fotos International-KPA-ZUMA/Album, pág. 126 Sogecine/Himenoptero/UGC Images/Eyescreen/Album, pág. 129 COVER, pág. 132 Phartisan/Dreamstime pág. 138 T. Estrada, Helmut Gever, pág. 140 Jitalia17/Istockphoto, pág. 142 DonNichols/Istockphoto, Kostyantin Pankin/Dreamstime, Pleprakaymas/Dreamstime, Thanawat Srikaew/Dreamstime, Willeecole/Dreamstime, Vincent Giordano/Dreamstime, pág. 150 James Willamor/Flickr, pág. 153 James Willamor/Flickr, pág. 156 Difusión, Nick Lobeck, Erik Dungan, Difusión, pág. 157 Laura Díaz, pág. 159 Difusión, **MI AGENDA EN ESPAÑA** pág. 182 Robwilson39/Dreamstime.com

Locuciones: Moritz Alber, Carlota Alegre, Antonio Béjar, Celina Bordino, Iñaki Calvo, Cristina Carrasco, Barbara Ceruti, Mª Isabel Cruz, Paulina Fariza, Stephanie Figueira, Miguel Figueroa, Guillermo García, Oscar García, Pablo Garrido, Laura Gómez, Olatz Larrea, Luis Luján, Emilio Marill, Carmen Mora, Edith Moreno, Núria Murillo, Amaya Núñez, Camilo Parada, Begoña Pavón, Jorge Peña, Javier Príncep, Raquel Ramal, Paco Riera, Mamen Rivera, Leila Salem, Laia Sant, David Velasco, Nuria Viu

Asesores de la nueva edición:
Centro de Lenguas de la Universidad de Tubinga, Instituto Cervantes de Roma, Instituto Cervantes de Atenas, CLIC Sevilla, IH Barcelona, Universidad de Málaga, BCN Languages

Agradecimientos: Bertrand Amaraggi, Anna Carreras, Daniel Carreras, Anne Cohen-Hadria, Anna Domènech, Oscar García Ortega, Emilio Marill, Lourdes Muñiz, Anthony Petitprez, Raquel Sagarra, Rocío Santander, Charline Stierlen, Carles Torres, Sergio Troitiño, Alba Vilches, Enrico Visentin, Naïry Vrouyr, Claudia Zoldan, Granel Gracia

© Los autores y Difusión, S.L. Barcelona 2013
ISBN: 978-84-15640-07-3
Depósito legal: B 19836-2013
Reimpresión: diciembre 2017
Impreso en España por Cayfosa

difusión
Centro de Investigación y Publicaciones de Idiomas, S. L

C/ Trafalgar, 10, entlo. 1ª
08010 Barcelona
Tel. (+34) 93 268 03 00
Fax (+34) 93 310 33 40
editorial@difusion.com

www.difusion.com

Queda prohibida cualquier forma de reproducción, distribución, comunicación pública y transformación de esta obra sin contar con la autorización de los titulares de la propiedad intelectual. La infracción de los derechos mencionados puede ser constitutiva de delito contra la propiedad intelectual (arts. 270 y ss. Código Penal).

AULA 2

NUEVA EDICIÓN

Jaime Corpas
Agustín Garmendia
Carmen Soriano

Coordinación pedagógica
Neus Sans

¡BIENVENIDOS A LA AVENTURA DE APRENDER ESPAÑOL EN ESPAÑA!

DURANTE LAS PRÓXIMAS SEMANAS VAS A...

aprender muchas palabras nuevas, vas a **leer** textos interesantes, **escuchar** conversaciones, **hacer** actividades, **ver** vídeos...

PERO, ADEMÁS, VAS A VIVIR UNA AVENTURA PERSONAL:

vas a **conocer** a nuevos compañeros y a profesores, vas a **vivir** en un pueblo o una ciudad española, vas a **visitar** museos, **hacer** excursiones, **ir** a la playa, **comer** en restaurantes o en casas de españoles, **ver** la tele, **escuchar** la radio, **pasear**...

> **Y TODO ESTO... ¡EN ESPAÑOL!**

> **¡APROVECHA PARA HABLAR, LEER, ESCUCHAR Y VIVIR EN ESPAÑOL!**

ENGLISH

WELCOME TO THE ADVENTURE OF LEARNING SPANISH IN SPAIN! Over the next few weeks, you are going to learn many new words, read fascinating texts, listen to conversations, take part in activities, watch videos... and all this in Spanish. Yet you are also going on a personal adventure: you are going to meet new classmates and teachers, live in a Spanish town or city, visit museums, take trips, go to the beach, eat at restaurants or local homes, watch the television, listen to the radio, take walks... Use this time to speak, read, listen and live in Spanish! **AULA: YOU ARE THE STAR** Aula Nueva Edición is your manual. Yet what makes it a book specially designed for you? Because it understands that you are in Spain and nowhere else. Because it takes your needs into consideration: you will learn to speak about your likes and dislikes, your life, your world... and all this in Spanish! Because it will help you communicate in Spanish right from the start. Because it will help you better understand the texts, discover grammar and lexicon, find the answers to your questions and build up your knowledge of Spanish.

DEUTSCH

WILLKOMMEN BEI DEM ABENTEUER SPANISCHLERNEN IN SPANIEN! Während der nächsten Wochen werden Sie viele neue Wörter lernen, interessante Texte lesen, Gespräche hören, unterschiedliche Tätigkeiten unternehmen, sich Videos ansehen... und all das auf Spanisch. Sie werden zusätzlich noch ein anderes, ganz persönliches Abenteuer erleben: Sie werden neue Mitschüler kennenlernen, in einem spanischen Ort leben, Museen besichtigen, Ausflüge machen, an den Strand gehen, in Restaurants oder bei Spaniern zu Hause essen, fernsehen, Radio hören, spazieren gehen... Nutzen Sie diese Gelegenheiten, um Spanisch zu sprechen, lesen, hören und zu (er)leben! **AULA: SIE SIND DER PROTAGONIST** Aula Neue Ausgabe ist Ihr Kursbuch, aber: woran erkennt man, dass es speziell für Sie konzipiert wurde? Weil es für den Lerner in Spanien gedacht ist. Weil es Ihre ganz besonderen Bedürfnisse berücksichtigt: Sie lernen, über Ihre eigene Vorlieben, Ihr Leben, Ihre Welt zu sprechen – und zwar auf Spanisch! Weil es Ihnen in den ersten Tagen im neuen Land unter die Arme greift und Ihnen Kommunikationshilfen bietet. Weil es Sie dabei unterstützt, Texte besser zu verstehen, Grammatik und Wortschatz zu entdecken, Antworten auf Ihre Fragen zu finden und Ihre Spanischkenntnisse sinnvoll aufzubauen.

ITALIANO

BENVENUTI NELL'AVVENTURA DELL'APPRENDIMENTO DELLO SPAGNOLO IN SPAGNA! Nelle prossime settimane imparerai molte parole nuove, leggerai testi interessanti, ascolterai conversazioni, svolgerai attività, vedrai video... e tutto questo, in spagnolo. Ma vivrai anche un'avventura personale: conoscerai nuovi compagni e professori, vivrai in un paese o una città spagnola, visiterai musei, farai gite, andrai al mare, mangerai in ristoranti o in casa di spagnoli, guarderai la televisione, ascolterai la radio, farai passeggiate... Approfittane per parlare, leggere, ascoltare e vivere in spagnolo! **AULA: IL PROTAGONISTA SEI TU** Aula Nueva Edición è il tuo manuale, ma... perché è un libro appositamente pensato per te? Perché prende in considerazione il fatto che sei in Spagna e non in un altro luogo. Perché prende in considerazione le tue esigenze: imparerai a parlare dei tuoi gusti, della tua vita, del tuo mondo... e tutto questo, in spagnolo! Perché ti aiuterà a comunicare in spagnolo fin dai primi giorni. Perché ti aiuterà a capire meglio i testi, a scoprire la grammatica e il lessico, a trovare le risposte alle tue domande e a costruire la tua conoscenza dello spagnolo.

FRANÇAIS

BIENVENUS À CETTE AVENTURE : APPRENDRE L'ESPAGNOL EN ESPAGNE ! Au cours des prochaines semaines, vous allez apprendre des mots nouveaux, vous allez lire des textes intéressants, écouter des conversations, faire des activités, voir des vidéos... et tout ça, en espagnol. De plus, vous allez vivre une aventure personnelle : vous allez faire de nouvelles connaissances et connaître des professeurs, vous allez vivre dans un village ou une ville espagnole, vous allez visiter des musées, faire des randonnées, aller à la plage, manger au restaurant ou chez des Espagnols, regarder la télévision, écouter la radio, vous promener...Profitez-en pour parler, lire, écouter et vivre en espagnol ! **AULA : VOUS ÊTES LE PROTAGONISTE** Aula Nueva edición, c'est votre livre d'apprentissage, mais... Pourquoi est-ce un livre tout spécialement conçu pour vous ? Parce qu'il tient compte que vous êtes en Espagne et nulle part ailleurs. Parce qu'il tient compte de vos besoins : vous allez apprendre à parler de ce qui vous plaît, de votre vie, de votre monde... et tout ça, en espagnol ! Parce qu'il va vous aider à communiquer en espagnol dès le début. Parce qu'il va vous aider à mieux comprendre les textes, à découvrir la grammaire et le vocabulaire, à trouver les réponses à vos questions et à construire votre connaissance de l'espagnol.

AULA: TÚ ERES EL PROTAGONISTA

Aula Nueva edición es tu manual, pero… ¿por qué es un libro especialmente pensado para ti? Porque tiene en cuenta que **estás en España** y no en otro lugar. Porque tiene en cuenta **tus necesidades**: vas a aprender a hablar de **tus gustos**, de **tu vida**, de **tu mundo**… ¡y todo eso en español! Porque te va a ayudar a **comunicarte en español** desde los primeros días. Porque te va ayudar a **entender mejor los textos**, a **descubrir la gramática y el léxico**, a encontrar las respuestas a tus preguntas y a **construir tu conocimiento** del español.

PORTUGUÊS

BEM VINDOS À AVENTURA DE APRENDER ESPANHOL NA ESPANHA! Durante as próximas semanas você irá aprender muitas palavras novas, irá ler textos interessantes, escutar conversações, realizar atividades, ver vídeos… e tudo isso, em espanhol! Mas, além disso, irá viver uma aventura pessoal: irá conhecer novos companheiros e professores, irá viver em um povoado ou uma cidade espanhola, irá visitar museus, fazer excursões, ir à praia, comer em restaurantes ou em casas de espanhóis, ver televisão, escutar rádio, passear… Aproveite para falar, ler, escutar e viver em espanhol! AULA: VOCÊ É O PROTAGONISTA Aula Nueva edición é seu manual, mas… por que é um livro especialmente pensado para você? Porque leva em consideração que você está na Espanha e não em outro lugar. Porque considera suas necessidades: você irá aprender a falar de seus gostos, sua vida, seu mundo… ! E tudo isso em espanhol! Porque irá ajudar você a se comunicar em espanhol desde os primeiros dias. Porque te ajudará a entender melhor os textos, a descobrir a gramática e o léxico, a encontrar as respostas para suas perguntas e a construir seu conhecimento do espanhol.

日本の

皆さんスペインへようこそ、そしてスペイン語を学ぶ冒険へようこそ！！ これからの数週間、新しい言葉を覚えていくことになります。大変おもしろいスペイン語の原文などを読んでいきます。彼らのはなす会話を聞き、いろいろな活動を行い、ビデオも全てスペイン語の原文です。これらの学習以外に、この期間はあなな自身にとっての貴重な経験になることでしょう。新しいクラスメートや先生を知ること、スペインの村や町に住むこと、また美術館などを訪れること、そして遠足などにも出かけること、すべてが貴重な経験となることでしょう。そして海へ行ったり、レストランやスペイン人の家庭で食事をしたり、テレビを見たり、ラジオを聞いたり、散歩などをすること、大きな経験です。スペイン語で話したり、聞いたりすることを有効に活用しましょう！ AULAでは、あなたが主人公です。 AULA NUEVAは、あなたが外国語を学ぶためのマニュアルになります。何故あなたに適切な本かといえば、あなたがスペインにいることを前提にしているからです。他国にいることでの必要性を考慮しています。スペイン語で自分の趣味を語れるようになり、そして自分の人生について語れるようになり、同時に自分の世界について語れるようになります。はじめからスペイン語でコミュニケーションできるようになります。文章をよりよく理解出来るようにヘルプします。文法や言葉をより簡単に理解する事が出来るでしょう。そして、疑問に思った事などに対して、回答を見つけることが出来、スペイン語に対しての知識を増やすことが可能になります。

РУССКИЙ

ДОБРО ПОЖАЛОВАТЬ, СЕЙЧАС НАЧНЕТСЯ ТВОЕ ПРИКЛЮЧЕНИЕ, ТЫ БУДЕШЬ УЧИТЬ ИСПАНСКИЙ В ИСПАНИИ! В ближайшие недели ты выучишь много новых слов, будешь читать интересные тексты, слушать диалоги, выполнять разные задания, смотреть видео… и все это по-испански. Но еще это будет твое личное приключение: ты познакомишься с другими студентами и преподавателями, поживешь в испанском городе, будешь ходить в музеи и на экскурсии, отдыхать на пляже, есть в ресторанах или дома у испанцев, смотреть телевизор, слушать радио, гулять… Пользуйся возможностью говорить, читать, слушать и жить по-испански! AULA: ТЫ - ГЛАВНОЕ ДЕЙСТВУЮЩЕЕ ЛИЦО Aula Nueva edición - это твой учебник… но почему это учебник именно для тебя? Потому что он учитывает, что ты находишься в Испании, а не в другом месте. Потому что в нем есть то, что нужно именно тебе: ты научишься говорить о том, что тебе нравится, о своей жизни, о своем мире… и все это по-испански! Потому что он поможет тебе общаться по-испански с первого дня. Потому что он поможет тебе лучше понимать тексты, познакомиться с грамматикой и лексикой, найти ответы на твои вопросы и выучить испанский язык.

中国的

欢迎大家来到学习西班牙语的冒险殿堂！ 在未来几周的时间里。你会学到许多新词，也会读到一些有趣的文章，聆听对话，做活动，观看视频等…所有这些活动都是以西班牙语来进行。但是除此之外，你还会开启一个生活历险记：你会遇到新的同学和老师，你将生活在西班牙的小村小镇或是城里，你也会有机会参观博物馆，郊游，到海边走走，在餐馆吃饭或是拜访西班牙朋友的家里，看电视，听收音机，散步等…你将借着这些机会在西班牙生活，练习说西班牙语，阅读，以及聆听西班牙语！ 课堂：你是主角 新版的¨课堂¨一书是你语言学习的实用手册。然而，为什么我们会说这是一本为你量身定制的语言手册呢？因为你现在正在西班牙，而不是别的地方。还有这本书考虑到你的需求：你将会学习到如何表达你的嗜好，你的生活，你周遭的一切等等…所有这些活动和内容都是以西班牙语表达！因为我们会帮助你从一开始上课的前几天就学会以西班牙语来对外沟通。 因为只有这样才会帮助你更好地理解课文，发现语法和词汇的世界，寻找问题的答案，并借以逐步建立自己的西班牙语知识。

YO EN ESPAÑA

MI DIRECCIÓN

Anota dónde vives.

Vivo en

MI ESCUELA

Escribe esta información sobre tu escuela.

Nombre: ....

Dirección: ....

Teléfono: .... Página web: ....

Correo electrónico ....

MI CLASE

Escribe esta información sobre tu clase.

Nombre de mi profesor / mis profesores:

Mi aula:

Mi horario:

	LUNES	MARTES	MIÉRCOLES	JUEVES	VIERNES	SÁBADO	DOMINGO
MAÑANA							
MEDIODÍA							
TARDE							

MIS COMPAÑEROS Y MIS AMIGOS EN ESPAÑA

Anota la información de tus compañeros de clase y de otras personas que conozcas en España.

NOMBRE	TELÉFONO	CORREO ELECTRÓNICO

MI CIUDAD

Pega aquí un mapa de la ciudad donde estás aprendiendo español y señala tu casa y tu escuela.

LAS RECOMENDACIONES DE MI PROFE

Habla con tu profesor. ¿Qué te recomienda?

Un lugar para visitar: ....

Dos películas: ....

Tres libros: ....

Cuatro páginas de internet: ....

UNA WEB PARA APRENDER MÁS

CAMPUS.DIFUSION.COM

MI DIARIO EN ESPAÑA

MIS EXPERIENCIAS EN ESPAÑA

Escribe aquí las cosas que quieres recordar.

Canciones

Personas

Momentos especiales

Palabras y expresiones

MIS DESCUBRIMIENTOS

Escribe las cosas que te sorprenden,
que te gustan, que descubres...

Comidas:

Bebidas:

Lugares:

Locales para salir:

Viajes / excursiones:

Fiestas:

Costumbres:

Otros:

MIS IMÁGENES

Pega aquí las fotos más representativas de tu estancia en España.

CÓMO ES
AULA NUEVA EDICIÓN

Aula nació con la ilusión de ofrecer una herramienta moderna, eficaz y manejable con la que llevar al aula de español los enfoques comunicativos más avanzados. La respuesta fue muy favorable: miles de profesores han confiado en este manual y muchos cientos de miles de alumnos lo han usado en todo el mundo. **Aula Nueva edición** es una rigurosa actualización de esa propuesta: un manual que mantiene el espíritu inicial, pero que recoge las sugerencias de los usuarios, que renueva su lenguaje gráfico y que incorpora las nuevas tecnologías de la información. Gracias por seguir confiando en nosotros.

EMPEZAR

En esta primera doble página de la unidad se explica qué tarea van a realizar los estudiantes y qué recursos comunicativos, gramaticales y léxicos van a incorporar. Los alumnos entran en la temática de la unidad con una actividad que les ayuda a activar sus conocimientos previos y les permite tomar contacto con el léxico de la unidad.

COMPRENDER

En esta doble página se presentan textos y documentos muy variados (páginas web, correos electrónicos, artículos periodísticos, folletos, tests, anuncios, etc.) que contextualizan los contenidos lingüísticos y comunicativos básicos de la unidad. Frente a ellos, los estudiantes desarrollan fundamentalmente actividades de comprensión.

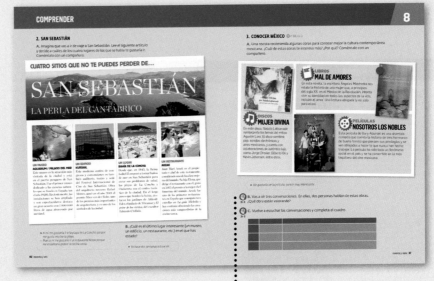

Este icono indica en qué actividades hay un **documento auditivo**.

Esta referencia indica qué ejercicios de la sección *Más ejercicios* están más relacionados con cada actividad.

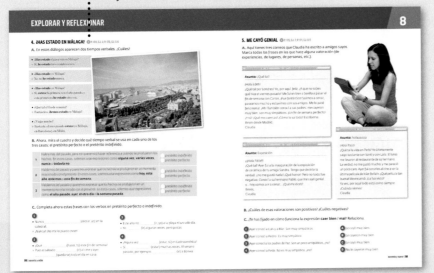

EXPLORAR Y REFLEXIONAR

En estas cuatro páginas los estudiantes realizan un trabajo activo de observación de la lengua –a partir de muestras o de pequeños corpus– y practican de forma guiada lo aprendido.

Los estudiantes descubren así el funcionamiento de la lengua en sus diferentes niveles (morfológico, léxico, funcional, discursivo, etc.) y refuerzan su conocimiento explícito de la gramática.

En la última página de esta sección se presentan esquemas gramaticales y funcionales a modo de consulta. Con ellos se persigue la claridad, sin renunciar a una aproximación comunicativa y de uso a la gramática.

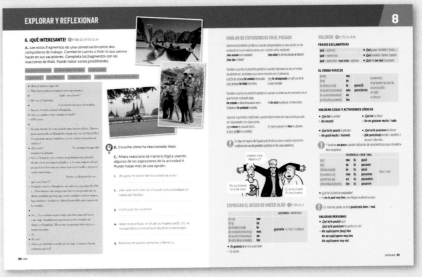

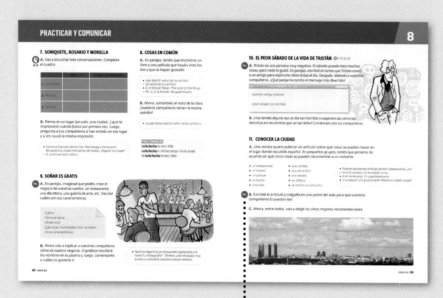

PRACTICAR Y COMUNICAR

Esta sección está dedicada a la práctica lingüística y comunicativa, e incluye propuestas de trabajo muy variadas.

El objetivo es que los estudiantes experimenten el funcionamiento de la lengua a través de microtareas comunicativas en las que se practican los contenidos presentados en la unidad. Muchas de las actividades están basadas en la experiencia del alumno: sus observaciones y su percepción del entorno se convierten en material de reflexión intercultural y en un potente estímulo para la interacción comunicativa en el aula. Al final de esta sección, se proponen una o varias tareas que implican diversas destrezas y que se concretan en un producto final escrito u oral que el estudiante puede incorporar al Portfolio.

Este icono indica algunas actividades que podrían ser incorporadas al **portfolio** del estudiante.

Actividad de vídeo. Cada unidad cuenta con un vídeo, de formatos diversos, concebido para desarrollar la comprensión audiovisual de los estudiantes.

VIAJAR

La última sección de cada unidad incluye materiales que ayudan al alumno a comprender mejor la realidad cotidiana y cultural de los países de habla hispana.

Este icono indica en qué actividades el estudiante puede usar **internet**.

En construcción. Actividad final de reflexión en la que el estudiante recoge lo más importante de la unidad.

El libro se completa con las siguientes secciones:

MÁS EJERCICIOS

Seis páginas de ejercicios por unidad. En este apartado se proponen nuevas actividades de práctica formal que estimulan la fijación de los aspectos lingüísticos de la unidad. Los ejercicios están diseñados de modo que los alumnos los puedan realizar de forma autónoma, aunque también se pueden utilizar en la clase para ejercitar aspectos gramaticales y léxicos de la secuencia.

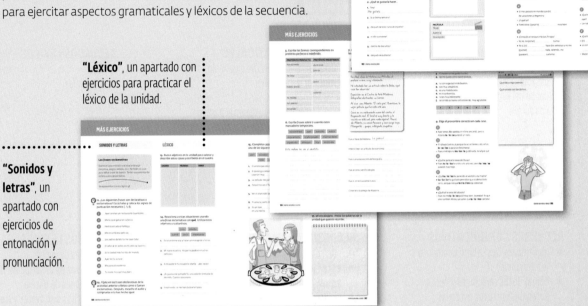

"Léxico", un apartado con ejercicios para practicar el léxico de la unidad.

"Sonidos y letras", un apartado con ejercicios de entonación y pronunciación.

AGENDA DEL ESTUDIANTE

Al principio y al final del libro se incluye una agenda personal en la que los estudiantes pueden anotar información sobre sus clases y sobre aspectos interesantes de su estancia en España. Además, esta sección contiene información útil para que los estudiantes puedan desenvolverse en su vida cotidiana y en sus viajes por España (páginas web de interés, información sobre las comunidades autónomas, etc.).

campus difusión

Vídeos
Audios
Actividades para practicar los contenidos de cada unidad
Evaluaciones autocorregibles
Glosarios
Transcripciones
Soluciones de las actividades de Más ejercicios

Recursos gratis para estudiantes y profesores

campus difusión

1 EL ESPAÑOL Y TÚ

→ EMPEZAR

1. CUATRO LENGUAS EN CASA

A. Annelien y Vasile viven con sus hijos en Madrid. ¿Qué lenguas hablan?

1. Annelien habla .... con sus hijos.
2. Vasile habla .... con sus hijos.
3. Annelien habla .... en su trabajo.
4. Nico y Daniela hablan .... entre ellos.
5. Nico y Daniela hablan .... con sus abuelos maternos.
6. Nico y Daniela hablan .... con su abuela paterna.
7. Nico y Daniela hablan .... en la escuela.
8. Annelien y Vasile hablan en ....

B. ¿Conoces a alguna familia parecida?

> • Yo conozco un chico alemán que está casado con una china y viven en París. Entre ellos hablan francés y con los niños hablan alemán y chino.

BRAM Y MARIJKE
ABUELOS MATERNOS
DE NICO Y DANIELA

RAQUEL
COMPAÑERA DE TRABAJO
DE ANNELIEN

HOLANDÉS

LUCÍA
COMPAÑERA DE LA ESCUELA
DE NICO Y DANIELA

ESPAÑOL

ESPAÑOL

EN ESTA UNIDAD VAMOS A

HACER RECOMENDACIONES A NUESTROS COMPAÑEROS PARA APRENDER MEJOR EL ESPAÑOL

RECURSOS COMUNICATIVOS
- hablar de hábitos
- hablar de la duración
- preguntar y responder sobre motivaciones
- hablar de dificultades
- hacer recomendaciones
- describir sentimientos

RECURSOS GRAMATICALES
- los presentes regulares e irregulares
- verbos reflexivos
- los verbos **costar** y **sentirse**
- **para / porque**
- **desde / desde hace / hace ... que**

RECURSOS LÉXICOS
- **sentirse ridículo/-a, seguro/-a, inseguro/-a, frustrado/-a, bien, mal...**
- actividades para aprender idiomas

ANNELIEN
MADRE DE NICO Y DANIELA

VASILE
PADRE DE NICO Y DANIELA

NICOLETA
ABUELA DE NICO Y DANIELA

INGLÉS

RUMANO

RUMANO

HOLANDÉS

RUMANO Y ESPAÑOL

ESPAÑOL Y HOLANDÉS

NICO Y DANIELA

ESPAÑOL

2. TEST ORAL ⊕ P. 120, EJ. 1-2

A. Barbara empieza hoy un curso de español en España. En su escuela le hacen una entrevista para conocer su nivel. Escucha y completa la ficha de inscripción.

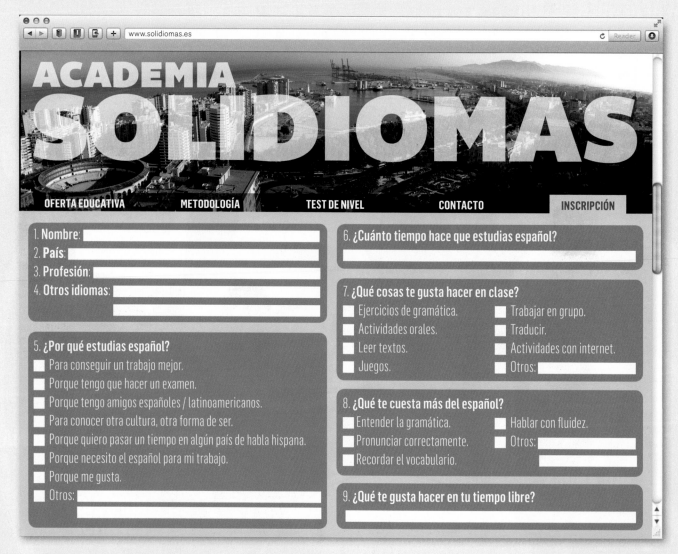

B. Compara tu ficha con la de un compañero. ¿Tenéis toda la información? Podéis volver a escuchar la entrevista.

C. Formula a tu compañero las preguntas de la entrevista y anota sus respuestas.

> • ¿Cuánto tiempo hace que estudias español?
> ○ Un año. ¿Y tú?

D. Cuenta a la clase las cosas más interesantes que has descubierto sobre tu compañero.

> • David habla un poco de chino y estudia español porque tiene una amiga en Guatemala…

1

3. ME SIENTO RIDÍCULO CUANDO HABLO ESPAÑOL ⊕ P. 120, EJ. 3; P. 125, EJ. 18

A. En este artículo algunos estudiantes hablan sobre el aprendizaje de lenguas.
Léelo y subraya las cosas que también te pasan a ti o con las que estás de acuerdo.

¿QUÉ SIENTEN EN CLASE DE ESPAÑOL?

En el aula pueden aparecer muchas emociones: negativas, como la ansiedad, el miedo o la frustración; pero también positivas, como la ilusión, el entusiasmo, la diversión… Los estudios dicen que todas esas emociones afectan al proceso de aprendizaje. Algunos estudiantes extranjeros nos cuentan cómo viven la experiencia de aprender español.

"Creo que hay idiomas más fáciles que otros. Y para mí, que soy italiano, el español es una lengua bastante fácil. Me lo paso bien en clase porque lo entiendo todo fácilmente." **Alessandro**

"Yo soy un poco tímida y me siento insegura cuando tengo que responder a las preguntas del profesor. Además, no me gusta salir a la pizarra. Me da vergüenza." **Kate**

"Me siento bien cuando trabajo en pequeños grupos. Creo que va muy bien para aprender un idioma. Pero no me gusta hacer ejercicios repetitivos de gramática." **Cheikh**

"Me siento ridícula cuando hablo español porque tengo mucho acento. Por eso me siento fatal cuando tengo que hablar delante de mis compañeros." **Manon**

"Yo normalmente me divierto mucho en clase. Creo que el profesor tiene que motivar a los estudiantes y crear un clima agradable. Eso es muy importante para aprender." **Pavel**

"Me gusta trabajar con otros compañeros, pero me siento insegura cuando hablo con un compañero que sabe más español que yo." **Rita**

"Cuando leo un texto o escucho una conversación, me siento un poco frustrada si no entiendo todas las palabras." **Shui**

"Me siento mal cuando el profesor me corrige delante de mis compañeros. Para mí la corrección gramatical no es lo más importante." **Vincent**

B. ¿Y tú qué opinas? ¿Cómo te sientes en clase?
Coméntalo con tus compañeros.

- Yo no me siento frustrada cuando no entiendo todas las palabras.
- Yo tampoco, pero me siento un poco ridículo cuando hablo español...

4. LOS NUEVOS ESPAÑOLES ⊕ P. 121, EJ. 4-6

A. Estas personas viven en España por diferentes motivos. Lee los textos y decide cuál crees que vive mejor. Justifica tu respuesta.

Lotta Langstrum (sueca). **Tiene** 39 años y hace dos que vive cerca de Santiago, en una casa en el campo. Es profesora de canto y **enseña** en una escuela de música. Tiene las mañanas libres. Normalmente **se levanta** temprano y **desayuna** en un bar. "Trabajo toda la tarde y por las noches **estudio** español, **veo** la tele y **leo**". Todavía no **entiende** perfectamente el español, pero le gusta su vida en España. No **quiere** volver a Suecia, de momento.

Paul Jones (inglés). Hace más de veinte años que **vive** en Barcelona y no **piensa** volver a su país. "Me gusta la vida aquí: el clima, la comida, la gente…". **Es** el director de una academia de idiomas y **trabaja** muchas horas al día. **Viaja** mucho, no solo por España, sino también por Europa y Asia. **Está** casado con una española, así que **domina** bastante bien el español porque **habla** español en casa. Sin embargo, Paul **dice**: "**reconozco** que aún **tengo** dificultades con la lengua. Mi problema **es** que después de 20 años, todavía **confundo** los tiempos del pasado".

Akira Akijama (japonés). Tiene una beca para hacer un máster en Música y vive en Granada desde enero del año pasado. **Va** a clase por la tarde, así que se levanta tarde y **pasea** por la ciudad. "Cada día **descubro** un rincón nuevo. Los fines de semana **salgo** por la noche con amigos y no **vuelvo** hasta las cinco o las seis de la mañana. La gente aquí sale mucho." Cuando le **preguntamos** si quiere quedarse en España responde: "aún no lo **sé**, pero la verdad es que me gusta mucho la vida aquí, así que **puede** ser…".

B. En el texto, los verbos en negrita están en presente. ¿Sabes cuál es su infinitivo? Escríbelo en tu cuaderno.

C. Aquí tienes un verbo regular de cada conjugación. De los verbos anteriores, ¿cuáles funcionan como los del cuadro? ¿Cuáles no?

	HABLAR	COMER	VIVIR
(yo)	hablo	como	vivo
(tú)	hablas	comes	vives
(él/ella/usted)	habla	come	vive
(nosotros/nosotras)	hablamos	comemos	vivimos
(vosotros/vosotras)	habláis	coméis	vivís
(ellos/ellas/ustedes)	hablan	comen	viven

D. Clasifica los verbos irregulares que aparecen en el texto según su tipo de irregularidad.

E > IE	quiere
O > UE	
1ª persona irregular	
C > ZC en la 1ª persona del singular	
otros	

5. HACE DOS AÑOS QUE ESTUDIO ESPAÑOL ⊕ P. 121, EJ. 7; P. 122, EJ. 8

A. Fíjate en las cosas que ha hecho Naomi desde el año 2005 hasta la actualidad y completa las frases.

Estudia español **desde** ....

Hace .... años **que** vive con Pepe en Madrid.

Trabaja en una empresa de informática **desde hace** .... años.

B. Ahora completa las frases hablando de ti.

Vivo en .... **desde** ....

Estudio español **desde hace** ....

Hace .... **que** trabajo en ....

Desde ....

Hace .... **que** ....

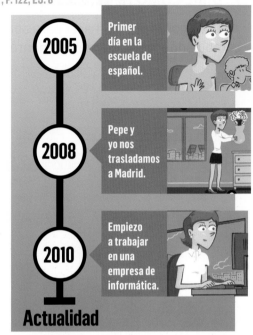

2005 — Primer día en la escuela de español.

2008 — Pepe y yo nos trasladamos a Madrid.

2010 — Empiezo a trabajar en una empresa de informática.

Actualidad

6. ME CUESTA ⊕ P. 122, EJ. 9-10; P. 123, EJ. 12

A. Lee los problemas de estos estudiantes. ¿Con cuáles de ellos te identificas más?

Mary: "Creo que tengo poco vocabulario y además no me acuerdo de las palabras cuando las necesito. También **me cuesta** entender los textos."

Gudrun: "A veces **me cuesta** entender a la gente cuando habla."

Lucy: "**Me cuestan** mucho los verbos irregulares. Para mí, son **lo más difícil**."

Pedro: "Para mí **es muy difícil** pronunciar la erre. También **me cuesta** la entonación."

Hans: "**Me siento inseguro** cuando hablo. Sé que cometo errores y no me gusta…"

B. ¿Qué problemas tienes tú?

PARA COMUNICAR

Para mí lo más complicado / difícil es…   A mí me cuesta/n…
Me siento inseguro/-a cuando…   A mí no me cuesta/n…

C. ¿Cuál de los siguientes consejos es más apropiado para los estudiantes del apartado A?

1. Para eso, **lo mejor** es ver películas, escuchar canciones…
2. Para eso **va bien** repetir muchas veces una frase y grabarla.
3. Creo que **tienes que** leer más revistas, libros…
4. Yo creo que **va bien** hablar mucho, perder el miedo…
5. **Lo mejor es** no preocuparse por entenderlo todo.
6. Yo creo que **va bien** intentar utilizar las palabras nuevas en las conversaciones.
7. **Tienes que** mirar la cara y las manos de la gente porque eso ayuda a entender lo que dicen.
8. Yo creo que **va bien** escribir las palabras que quieres recordar.
9. **Tienes que** hacer ejercicios de gramática y juegos para recordar las formas irregulares.

• *El consejo número 1 puede ser para Gudrun.*

7. DIME CÓMO APRENDES Y...

A. ¿Qué cosas puedes hacer para aprender español? En parejas, escribid frases combinando los siguientes elementos (intentad usarlos todos).

- Memorizar
- Escribir
- Leer
- Hacer
- Repetir
- Ver
- Tener
- Buscar
- Chatear
- Pegar

muchas palabras	películas	de móvil	frases y palabras	información	en el país	muchos ejercicios
mensajes	de gramática	periódicos	en versión original	en internet	de los textos	textos
un novio o una novia nativos	revistas	un intercambio	en el diccionario	un diario	todas las palabras
con amigos	en voz alta	con gente	con un nativo	cuando viajo	poemas y canciones
la tele	en las paredes de casa				

Hacer un intercambio con un nativo.

B. Ahora decidid cuáles de las cosas que habéis escrito son más útiles para aprender bien un idioma. ¿Podéis añadir alguna otra idea?

PARA COMUNICAR

Leer el periódico / hablar con nativos : **es muy útil / no es muy útil.**
va bien / no va bien.
es lo mejor.

- *Yo creo que memorizar muchas palabras va bien.*
- *¿Sí? Yo no, yo creo que no es muy útil. Lo importante es saber usar las palabras...*

C. Ahora, explicad a vuestros compañeros cuáles son, para vosotros, las tres cosas más importantes.

- *Para nosotros, las tres cosas más importantes son...*

PRESENTE DE INDICATIVO

VERBOS PRONOMINALES

	LEVANTARSE	SENTIRSE
(yo)	**me** levant**o**	**me** s**ie**nt**o**
(tú)	**te** levant**as**	**te** s**ie**nt**es**
(él/ella/usted)	**se** levant**a**	**se** s**ie**nt**e**
(nosotros/nosotras)	**nos** levant**amos**	**nos** sent**imos**
(vosotros/vosotras)	**os** levant**áis**	**os** sent**ís**
(ellos/ellas/ustedes)	**se** levant**an**	**se** s**ie**nt**en**

VERBOS IRREGULARES MÁS FRECUENTES

SER	ESTAR	IR	TENER	DECIR
soy	estoy	voy	tengo	digo
eres	estás	vas	tienes	dices
es	está	va	tiene	dice
somos	estamos	vamos	tenemos	decimos
sois	estáis	vais	tenéis	decís
son	están	van	tienen	dicen

O > UE	E > IE	E > I	C > ZC
PODER	**QUERER**	**PEDIR**	**CONOCER**
puedo	quiero	pido	conozco
puedes	quieres	pides	conoces
puede	quiere	pide	conoce
podemos	queremos	pedimos	conocemos
podéis	queréis	pedís	conocéis
pueden	quieren	piden	conocen
volver	**entender**	**vestirse**	**traducir**
acordarse	**pensar**	**servir**	**conducir**

(!) Hay algunos verbos que son irregulares en la primera persona: **hacer** (ha**go**), **poner** (pon**go**), **salir** (sal**go**), **saber** (s**é**)...

HABLAR DE LA DURACIÓN (I)

- ¿*Cuánto* (tiempo) **hace que** estudias español?
- ○ (**Hace**) Dos años.

- ¿*Hace mucho que* vivís en España?
- ○ Yo no, no mucho. Solo **hace** seis meses.
- ■ Yo sí, mucho tiempo; diez años ya.

- ¿*Desde cuándo* conoces a Pedro?
- ○ **Desde** el año pasado / **desde hace** un año.*

 * **Desde** y **hace** se pueden combinar: *Vivo en esta casa **desde hace** dos años.* ~~Conozco a Pedro desde un año.~~

HABLAR DE PROBLEMAS Y DE DIFICULTADES EN EL APRENDIZAJE

Me Te Le Nos Os Les	**cuesta** (mucho / un poco)	hablar (INFINITIVO) la gramática (NOMBRES EN SINGULAR)
	cuestan (mucho / un poco)	los verbos (NOMBRES EN PLURAL)

- ¿Qué es lo que más **te cuesta**?
- ○ A mí **me cuesta** mucho pronunciar la erre, ¿y a ti?
- No sé, **a mí me cuestan** mucho los verbos.

SENTIRSE + ADJETIVO + CUANDO + PRESENTE ⊕ P. 122, EJ. 11

- **Me siento** ridículo **cuando** hablo español.
- ○ Yo **me siento** insegura **cuando** hablo con nativos.

OTROS RECURSOS

- Para mí, **lo más difícil es** entender a la gente.
- ○ Pues para mí, **(lo más difícil) son** los verbos.

- Para mí, **es muy difícil** entender películas en español.
- ○ Para mí, **son muy difíciles** las palabras largas.

- **Me da vergüenza** salir a la pizarra.

HACER RECOMENDACIONES

Tienes / Tiene que Lo mejor es	+ infinitivo

- Necesito aprender más vocabulario.
- ○ Pues **tienes que** escuchar la radio o ver más la tele.
- ■ Yo creo que, para eso, **lo mejor es** leer mucho.

Va (muy) bien	+ infinitivo + nombres en singular
Van (muy) bien	+ nombres en plural

- Para perder el miedo a hablar, **va muy bien** salir con nativos.
- ○ Y también **van muy bien** los intercambios.

HABLAR DE MOTIVACIONES

- ¿*Por qué* estudiáis español?
- ○ Yo, **porque** quiero trabajar en España.
- ■ Pues yo, **para** conseguir un trabajo mejor.

8. MI BIOGRAFÍA LINGÜÍSTICA ⊕ P. 125, EJ. 17

A. Vas a escuchar a Ana hablando de las lenguas con las que está en contacto. Toma notas en el siguiente cuadro.

BIOGRAFÍA LINGÜÍSTICA

	¿En qué situaciones las usa?
polaco	
inglés	
italiano	

B. ¿Y tú con qué lenguas estás en contacto? En una hoja, escribe tu biografía lingüística teniendo en cuenta estos ámbitos.

- Familia
- Amigos
- Vacaciones
- Trabajo
- Televisión y cine
- Internet
- Música
- Literatura
- Gastronomía
- Otros...

C. Ahora el profesor reparte las biografías y, en grupos, leéis las que os han tocado. ¿Sabéis de qué compañero es cada una?

Hablo español porque vivo en Barcelona. Con mi familia hablo holandés, que es mi lengua materna, pero con mi novio hablo italiano, porque él es de Roma. En el trabajo a veces hablo alemán, porque tengo muchos clientes alemanes. Y entiendo algunas palabras en francés, porque me encanta el cine francés y veo siempre películas en versión original. Además...

9. ¿CÓMO APRENDES?

Lee el siguiente texto sobre los estilos de aprendizaje y marca con cuál o cuáles te identificas más. Luego, coméntalo con tus compañeros.

¿Cómo aprendemos
MEJOR?

No hay una sola forma de aprender: las personas pensamos, relacionamos y recordamos la información de maneras distintas. Los expertos hablan de "estilos de aprendizaje" y dicen que cada uno de nosotros tiene un estilo predominante.

**DEPENDIENTE DE CAMPO
O INDEPENDIENTE DE CAMPO**

El estudiante independiente de campo es analítico. Cuando aprende idiomas se siente cómodo si conoce las reglas. Le gusta planificar lo que va a hacer y, por lo general, es bastante autónomo. Además, cuando usa la lengua, le da mucha importancia a la corrección. En cambio, el estudiante dependiente de cam-

po aprende más por el contexto. Para él no es tan importante conocer las reglas, prefiere ver ejemplos de uso de la lengua. Y le importa más tener fluidez que hablar correctamente.

VISUAL, AUDITIVO, CINESTÉSICO O TÁCTIL

El estudiante visual aprende más cuando lee, ve palabras escritas en la pizarra o ve vídeos. Además, generalmente necesita tomar notas: si no, le cuesta retener la información.

En cambio, el estudiante auditivo aprende más cuando escucha o habla. Por eso, le va bien escuchar al profesor, escuchar canciones o textos orales y contar cosas a sus compañeros.

El estudiante cinestético aprende mejor experimentando cosas: le va bien moverse por la clase, hacer juegos de rol o actividades físicas.

El táctil necesita hacer cosas con sus manos. A este tipo de estudiante le va bien recortar cosas, reconstruir textos desordenados, hacer murales, etc.

GRUPAL O INDIVIDUAL

El estudiante con un estilo de aprendizaje grupal aprende y recuerda mejor la información nueva cuando trabaja con otras personas. En cambio, el estudiante individual prefiere trabajar solo.

> • Yo creo que soy más visual, porque me gusta hacer esquemas, anotar las palabras...

10. PARA APRENDER ESPAÑOL...

 A. En parejas, vais a crear un cuestionario para saber cómo aprenden vuestros compañeros de clase y qué dificultades tienen.

B. Ahora, vais a hacer las preguntas a dos compañeros. Anotad sus respuestas.

 C. Pensad qué consejos les podéis dar y elaborad una ficha con vuestras recomendaciones para cada uno.

> ¿Hablas español fuera de clase? ¿Con quién?
> ¿Qué es lo más difícil del español para ti?
> ¿Cuándo te sientes más inseguro en clase?
> ¿Qué haces para recordar lo que aprendes?

11. NOMBRES DE LA CULTURA HISPANA ⊕ P. 123, EJ. 13

A. ¿Cuáles son para ti los personajes más importantes de la cultura hispana?

EN VERSIÓN ORIGINAL

Las razones por las que aprendemos una lengua son siempre variadas y personales. A veces estudiamos una nueva lengua para entendernos con amigos, familiares, colegas, clientes... Pero a veces también lo hacemos para acercarnos a personajes que nos interesan, para entenderlos mejor. Muchas personas en todo el mundo estudian español para ver las películas de Almodóvar o Buñuel en versión original, para leer en español las obras de Vargas Llosa o García Márquez, para entender las canciones de Shakira y para leer estudios sobre Gaudí o Goya. Todas esas personas quieren conocer a los nombres de la cultura hispana en "versión original".

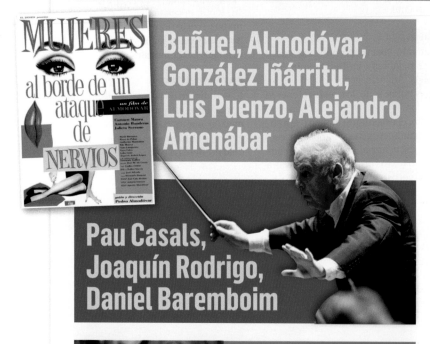

Buñuel, Almodóvar, González Iñárritu, Luis Puenzo, Alejandro Amenábar

Pau Casals, Joaquín Rodrigo, Daniel Baremboim

José Carreras, Montserrat Caballé, Plácido Domingo, Ainoha Arteta, Juan Diego Flórez

Tàpies, Fernando Botero, Antonio Seguí, Frida Kahlo, Dalí, Miró, Picasso

Óscar Tusquets, Ricardo Bofill, Gaudí, Moneo

Javier Bardem, Cecilia Roth, Gael García Bernal, Victoria Abril, Héctor Alterio, Penélope Cruz

B. Lee el texto. ¿Puedes relacionar a los personajes con sus profesiones?

- directores de cine
- escritores
- arquitectos
- cantantes de pop
- pintores
- músicos clásicos
- actores
- dibujantes
- cantantes de ópera

C. ¿Y tú? ¿Aprendes español por alguno de los motivos mencionados en el texto?

D. Busca información en internet sobre uno de los personajes y luego preséntalo a tus compañeros.

▶ VÍDEO

aula.difusion.com

⊞ EN CONSTRUCCIÓN

¿Qué te llevas de esta unidad?

Lo más importante para mí:

....
....

Palabras y expresiones:

....
....

Algo interesante sobre la cultura hispana:

....
....

Quiero saber más sobre...

....
....

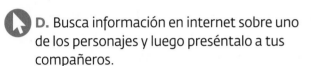

Mariscal, Quino, Horacio Altuna, Guillermo Mordillo, Maitena

García Márquez, Borges, Isabel Allende, Vargas Llosa, Javier Marías, Octavio Paz

La Fiesta del Chivo

Mario Vargas Llosa

PREMIO NOBEL 2010

Alejandro Sanz, Paulina Rubio, Shakira, Calle 13, David Bisbal

2 UNA VIDA DE PELÍCULA

→ EMPEZAR

1. FUERON LOS PRIMEROS ⊕ P. 126, EJ. 1

Mira el reportaje. ¿Sabes qué hicieron estas personas? Coméntalo con un compañero.

ganó	superó	fue	pintó
recibió	escaló	descubrió	

- Rita Moreno fue la primera actriz hispana que .... un Óscar (en 1961, por *West Side Story*).

- Rafael Nadal .... el récord de Bjön Borg cuando ganó su séptimo Roland Garros, en 2012.

- Entre 1986 y 1988, Manuel Elkin .... la vacuna sintética contra la malaria.

- Araceli Segarra fue la primera española que .... el Everest, en 1996.

- Pablo Picasso .... el primer cuadro cubista, *Las señoritas de Aviñón*, en 1907.

- Judith Mascó .... la primera española en salir en la portada de *US Vogue*.

- Gabriela Mistral .... en 1945 el primer premio Nobel de literatura otorgado a una escritora hispana.

Fueron los primeros

Algunos son famosos, otros son casi desconocidos para la mayoría de la gente, pero todos ellos tienen algo en común: hicieron algo por primera vez.

Rafael Nadal, español (1986)

EN ESTA UNIDAD VAMOS A

ESCRIBIR UNA BIOGRAFÍA

RECURSOS COMUNICATIVOS

- relatar y relacionar acontecimientos pasados
- hablar del inicio y de la duración de una acción

RECURSOS GRAMATICALES

- forma y usos del pretérito indefinido
- **empezar a** + infinitivo
- **ir / irse**
- marcadores temporales para el pasado
- las preposiciones **desde**, **durante** y **hasta**

RECURSOS LÉXICOS

- cine
- biografías

Manuel Elkin, colombiano (1946)

Judith Mascó, española (1969)

Pablo Picasso, español (1881 - 1973)

Araceli Segarra, española (1970)

Rita Moreno, portorriqueña (1931)

Gabriela Mistral, chilena (1889 - 1957)

2. UNA INFORMACIÓN FALSA

A. Aquí tenéis cuatro tarjetas de un juego de preguntas. En cada tarjeta hay una información falsa. En parejas, encontradla.

CINE

Halle Berry fue la primera mujer afroamericana que ganó un Óscar a la mejor actriz.

La trilogía de *El señor de los anillos* se filmó en Nueva Zelanda durante dos años.

Lincoln obtuvo el Óscar a la mejor película en 2013.

HISTORIA

Cristóbal Colón llegó a América en su primer viaje en el año 1492.

Kennedy murió asesinado en el año 1963.

La Primera Guerra Mundial terminó en 1920.

DEPORTES

La selección española de fútbol ganó el Mundial de Sudáfrica en 2006.

En las olimpiadas de Londres de 2012 Usain Bolt superó el récord olímpico en los 100 metros lisos.

El jugador de golf Tiger Woods ganó el primer Major en 1997 con solo 21 años.

MÚSICA

La primera gira de los Beatles por Estados Unidos fue en 1964.

El álbum *Thriller*, de Michael Jackson, salió al mercado en 1982, pero no tuvo mucho éxito.

Mozart compuso su *Réquiem* en 1791, pero no lo acabó.

- *Halle Berry ganó un Óscar, pero no sé si fue la primera afroamericana…*

 B. Comprobad en internet si habéis encontrado las afirmaciones falsas.

2

3. ALEJANDRO AMENÁBAR ➕ P. 126, EJ. 2-4; P. 130, EJ. 15

A. ¿Sabes quién es Alejandro Amenábar? ¿Has visto alguna de sus películas? Coméntalo con tus compañeros. Después, lee el texto.

ALEJANDRO **AMENÁBAR**

Nació en Santiago de Chile en 1972. Al año siguiente, poco antes del golpe de Estado de Pinochet, sus padres se fueron a vivir a España, a Madrid.

En 1990 empezó a estudiar Imagen y Sonido en la Universidad Complutense de Madrid, pero no terminó los estudios. En 1996 estrenó su primer largometraje, *Tesis*.

Sus películas más famosas llegaron poco después. En 1997 realizó su segunda película, *Abre los ojos*, que fue un gran éxito. Más tarde, Tom Cruise compró los derechos de la película para hacer *Vanilla Sky* (2001).

En 2001 estrenó *Los otros*, una película de terror y suspense en la que Nicole Kidman es la protagonista.

Tres años después, en 2004, ganó varios premios con la película *Mar adentro*, que trata el tema de la eutanasia.

En 2009 estrenó *Ágora*, una película histórica que sitúa la acción en Alejandría, en el siglo IV d.C., y que narra la vida de la filósofa Hipatia, interpretada por Rachel Weisz.

Amenábar en el rodaje de *Mar adentro* (2004).

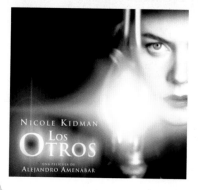
NICOLE KIDMAN
LOS OTROS
UNA PELÍCULA DE
ALEJANDRO AMENÁBAR

• Yo he visto *Ágora*, con Rachel Weisz.
○ Yo también, es muy buena.

B. Vas a escuchar un programa de radio sobre cine. Hoy hablan de Amenábar. ¿A qué película se refiere cada dato?

03

| **1.** Tesis | **2.** Ágora | **3.** Los otros | **4.** Mar adentro | **5.** Abre los ojos |

1. Con esa película Amenábar ganó el premio Goya al mejor director novel.

2. Está basada en una historia real y Javier Bardem interpreta el papel protagonista.

3. Se rodó en inglés.

4. Fue la película más cara de la historia del cine español.

5. La película ganó el Óscar a la mejor película de habla no inglesa.

6. En esa película trabaja Penélope Cruz.

4. EN 2006 HICE UN VIAJE DE TRES MESES POR ÁFRICA ⊕ P. 127, EJ. 6-7

A. Una revista ha pedido a sus lectores que compartan experiencias increíbles. ¿Cuál de ellas te parece más interesante?

UNA EXPERIENCIA INCREÍBLE

GERMÁN
"En 2006 **hice** un viaje de tres meses por África, con solo una mochila y muy poco dinero. **Fueron** los meses más intensos de mi vida y **aprendí** muchas cosas."

ROSA
"Hace unos años **fui** un verano a Malta con una amiga. Allí conocimos a una compañía de circo y **vivimos** con ellos unos meses. Fue la mejor experiencia de mi vida. Mi amiga después **hizo** un curso en una escuela de circo y ahora es trapecista."

ALBERTO
"El año pasado **estudié** seis meses en una universidad de China. **Fue** una experiencia increíble."

LORENA
"En 1991 **viví** en un barco durante un año con un grupo de amigos. **Estuvimos** tres meses en el mar, sin pisar tierra. Luego, **fuimos** a la Polinesia y visitamos muchas islas. **Aprendimos** muchísimo sobre la cultura polinesia."

LEILA
"Hace unos meses **estuve** en una fiesta… ¡en casa de Shakira y Piqué!"

B. Completa el cuadro con las formas en negrita de la actividad anterior.

VERBOS REGULARES				VERBOS IRREGULARES		
-AR ESTUDIAR	**-ER** APRENDER	**-IR** VIVIR		**IR / SER**	**ESTAR**	**HACER**
....	....	....		....	....	hiciste
estudiaste	aprendiste	viviste		fuiste	estuviste	....
estudió	aprendió	vivió		....	estuvo	....
estudiamos	....	....		....	....	hicimos
estudiasteis	aprendisteis	vivisteis		fuisteis	estuvisteis	hicisteis
estudiaron	aprendieron	vivieron		....	estuvieron	hicieron

C. ¿Qué dos conjugaciones tienen las mismas terminaciones en pretérito indefinido?

D. En dos casos, la forma es la misma que en presente de indicativo. ¿Cuáles?

E. ¿Conoces a gente con experiencias interesantes? Escribe algunas frases y luego léeselas a un compañero.

> Mi bisabuelo emigró a Estados Unidos en los años 20 y estuvo más de un mes en el barco.

5. AYER, HACE UN MES

A. Lee estas frases y marca con qué información coincides. Luego, coméntalo con un compañero.

- Fui al cine la semana pasada.
- Ayer hice los deberes.
- Estuve en América Latina en junio.
- Anoche me acosté tarde.
- Viví en Rusia del 97 al 99.
- El lunes cobré el sueldo del mes.
- Me casé hace dos años.
- Empecé a estudiar español el año pasado.

- He ido al cine esta semana.
- Últimamente no he hecho los deberes.
- No he estado nunca en América Latina.
- Hoy me he levantado pronto.
- He vivido en Rusia.
- Todavía no he cobrado el sueldo de este mes.
- Me he casado dos veces.
- He empezado a estudiar español este año.

B. Marca en las frases anteriores las formas verbales en pretérito perfecto y en pretérito indefinido. Luego, escribe en el cuadro los marcadores temporales que se usan con cada uno.

PRETÉRITO INDEFINIDO	PRETÉRITO PERFECTO
La semana pasada	Esta semana

6. UN CURRÍCULUM ⊕ P. 128, EJ. 11; P. 129, EJ. 12

A. Lee el currículum de Nieves y completa las frases.

DATOS PERSONALES
Nombre: Nieves
Apellidos: Ruiz Camacho
DNI: 20122810W
Lugar y fecha de nacimiento: Salamanca, 12/06/1985

FORMACIÓN ACADÉMICA
2003 - 2007: Universidad de Salamanca. Grado en Lengua y literatura inglesas.
2006 - 2007: Estudiante Erasmus en Anglia University, Cambridge.
2008 - 2009: Universidad de París-Cluny (Francia). Máster en Traducción.

EXPERIENCIA PROFESIONAL
2006 - 2007: Camarera en The King's Pub (Gran Bretaña).
2008 - 2009: Profesora de español en París.
2010 - 2011: Traductora en la Editorial Barcana, Barcelona.
2012 - actualidad: Traductora en la ONU, Ginebra (Suiza).

IDIOMAS
Español: lengua materna.
Inglés: nivel avanzado (C2), oral y escrito.
Francés: nivel avanzado (C2), oral y escrito.
Alemán: nociones básicas (A1).

OTROS DATOS DE INTERÉS
Amplios conocimientos de informática y dominio de programas de edición.
Disponibilidad para viajar.

1. Estudió en la Universidad de Salamanca **de** .... **a** ....

2. Llegó a Cambridge en 2006 y **al** .... **siguiente** volvió a Salamanca.

3. Trabajó como profesora de español **durante** .... años.

4. Empezó la carrera en 2003 y .... años **después** la terminó.

5. Terminó un máster en Traducción **hace** .... años.

6. Trabajó como traductora en una editorial de Barcelona **hasta** ....

7. Trabaja como traductora de la ONU **desde** ....

B. ¿Entiendes las palabras marcadas en negrita? Tradúcelas a tu lengua.

7. UNA HISTORIA DE AMOR

A. Completa esta historia con las expresiones que faltan.

un mes más tarde   una semana después   poco tiempo después   durante ese tiempo   en 2012

03/05/2010

El 3 de mayo de 2010 Álex conoció a Rosa en una discoteca. Se enamoraron a primera vista.

10/05/2010

......................................, la llamó y quedaron, fueron al cine y cenaron juntos.

10/06/2010

Empezaron a salir y ...., pasaron un fin de semana en la playa y decidieron irse a vivir juntos.

09/08/2010

......................................, Álex tuvo un accidente y pasó dos años en coma en un hospital.

2010-2012

......................................, en el hospital, Rosa se hizo muy amiga del doctor Urquijo, el médico de Álex.

ENERO 2012

......................................, Álex se despertó. Vio a Beatriz, una amiga de Rosa, y se enamoró de ella.

B. ¿Qué pasó después? En parejas, escribid el final de la historia.

10/06/2013

2014

....
....
....
....
....
....
....

PRETÉRITO INDEFINIDO ⊕ P. 127, EJ. 5; P. 128, EJ. 8; P. 130, EJ. 14

El pretérito indefinido sirve para hablar de acciones pasadas. Al contrario de lo que pasa con el pretérito perfecto, usamos el pretérito indefinido para hablar de momentos no relacionados con el presente.

VERBOS REGULARES

	-AR CAMBIAR	**-ER** NACER	**-IR** ESCRIBIR
(yo)	cambi**é**	nac**í**	escrib**í**
(tú)	cambi**aste**	nac**iste**	escrib**iste**
(él/ella/usted)	cambi**ó**	nac**ió**	escrib**ió**
(nosotros/nosotras)	cambi**amos***	nac**imos**	escrib**imos***
(vosotros/vosotras)	cambi**asteis**	nac**isteis**	escrib**isteis**
(ellos/ellas/ustedes)	cambi**aron**	nac**ieron**	escrib**ieron**

Cambié de trabajo hace dos años.

* Estas formas son las mismas que las del presente de indicativo.

VERBOS IRREGULARES

	ESTAR	
(yo)	estuv–	**e**
(tú)	estuv–	**iste**
(él/ella/usted)	estuv–	**o**
(nosotros/nosotras)	estuv–	**imos**
(vosotros/vosotras)	estuv–	**isteis**
(ellos/ellas/ustedes)	estuv–	**ieron**

Ayer **estuve** en casa de Roberto.

Todos los verbos que tienen la raíz irregular en pretérito indefinido tienen las mismas terminaciones que el verbo **estar**.

tener → **tuv-**	poner → **pus-**	poder → **pud-**	saber → **sup-**
hacer → **hic*-**	querer → **quis-**	venir → **vin-**	decir → **dij**-**

 * él/ella/usted **hizo**
** ellos/ellas/ustedes **dijeron** ~~dijieron~~

Los verbos **ir** y **ser** tienen la misma forma en pretérito indefinido.

	IR / SER
(yo)	**fui**
(tú)	**fuiste**
(él/ella/usted)	**fue**
(nosotros/nosotras)	**fuimos**
(vosotros/vosotras)	**fuisteis**
(ellos/ellas/ustedes)	**fueron**

Fui al cine la semana pasada.
La película **fue** un gran éxito.

MARCADORES TEMPORALES PARA HABLAR DEL PASADO ⊕ P. 128, EJ. 9

Los siguientes marcadores temporales se usan normalmente con el pretérito indefinido.

> **el** martes / año / mes / siglo **pasado**
> **la** semana pasada
> **hace** un año / dos meses / tres semanas / cuatro días…
> **el** lunes / martes / miércoles / 8 de diciembre…
> **en** mayo / 1998 / Navidad / verano…
> **ayer** / **anteayer** / **anoche**
> **el otro día**

- ● ¿Llegaste a Madrid **ayer**?
- ○ No, **la semana pasada**.
- ● ¿En qué año te casaste?
- ○ **En** 1998.

EMPEZAR A + INFINITIVO

(yo)	**empec**é	
(tú)	**empezaste**	
(él/ella/usted)	**empezó**	
(nosotros/nosotras)	**empezamos**	**a estudiar**
(vosotros/vosotras)	**empezasteis**	
(ellos/ellas/ustedes)	**empezaron**	

Empecé a estudiar en una multinacional hace dos años.

RELACIONAR ACONTECIMIENTOS DEL PASADO

Se casaron en 1997 y **tres años después / más tarde** se divorciaron.
Acabó el curso en julio y **al mes siguiente** encontró trabajo.

HABLAR DE LA DURACIÓN (II)

Vivo en Santander **desde** febrero / **desde hace** unos meses.
Estuve en casa de Alfredo **hasta** las seis de la tarde.
Trabajé en un periódico **de** 1996 **a** 1998. (= **del** 96 **al** 98)
Trabajé como periodista **durante** dos años.

IR / IRSE ⊕ P. 131, EJ. 19

El domingo **fui** a una exposición muy interesante.
Llegó a las dos y, media hora más tarde, **se fue***.

 * **Irse** = abandonar un lugar

8. EL "CHE" ⊕ P. 129, EJ. 13

A. Ernesto Guevara es una de las figuras más conocidas del mundo hispano. ¿Sabes algo de su vida? En parejas, comentad cuáles de estas cosas creéis que son verdad.

- Nació en Cuba.
- Estudió Medicina y trabajó como médico.
- Conoció a Fidel Castro en México.
- No aceptó nunca cargos políticos en el gobierno de Castro.
- Participó en movimientos revolucionarios de diferentes países de América Latina y África.
- Murió a los 60 años en un accidente de tráfico.
- En 2004, el actor Gael García Bernal protagonizó una película sobre su juventud.

> • ¿Tú crees que nació en Cuba?
> ○ No sé, no estoy muy segura, pero...

B. Lee ahora esta biografía del "Che" Guevara y comprueba tus hipótesis.

El Che Guevara

Ernesto Guevara, conocido en todo el mundo como "Che" Guevara o "El Che" nació en Rosario, Argentina, en 1928. A los 9 años se trasladó con su familia a Buenos Aires y unos años después se fue a vivir a Alta Gracia (cerca de Córdoba). En 1952 hizo un viaje por América Latina en el que recorrió Chile, Bolivia, Perú y Colombia. El contacto directo con la difícil realidad social de la zona fue una experiencia determinante para sus ideas revolucionarias. La película *Diarios de motocicleta*, protagonizada por el actor mexicano Gael García Bernal en 2004, narra ese viaje.

En 1953, cuando terminó sus estudios de Medicina, se fue de Argentina para dirigirse a Centroamérica, donde apoyó los movimientos revolucionarios de Guatemala y Costa Rica.

En 1955 trabajó de médico en México y allí conoció a Fidel Castro. A partir de ese momento y durante diez años, la vida del "Che" estuvo totalmente dedicada a Cuba: participó en la Revolución, obtuvo la nacionalidad cubana, fue comandante del ejército y fue dos veces ministro.

En 1965 abandonó su trabajo en Cuba y se dedicó de nuevo a la lucha activa, primero en África y luego en Sudamérica. Murió en Bolivia en 1967, asesinado por el ejército boliviano. Está enterrado en Cuba, país que lo ha considerado siempre un héroe nacional.

Película *Diarios de motocicleta*

Che Guevara en Cuba

C. En parejas, elegid una etapa de la vida del "Che" Guevara y buscad más información sobre lo que hizo en ese periodo. Luego, presentad al resto de la clase lo que habéis encontrado. Entre todos podéis ampliar su biografía.

D. Elige a un personaje de la historia de tu país y haz una breve presentación en clase.

9. TODA UNA VIDA

 A. Verónica es un chica argentina que vive en España. Escucha lo que cuenta sobre su vida.

04 ¿Qué hizo en cada uno de estos lugares? Toma notas en tu cuaderno.

■ Argentina (1985 - 2008)   ■ México (2008 - 2009)   ■ Londres (2009)   ■ España (2009 - 2013)

B. Escribe los nombres de los tres lugares más importantes de tu vida y, luego, explícale a un compañero por qué son importantes para ti.

> • Los tres lugares más importantes de mi vida son París, porque es donde nací, Londres, porque es donde conocí a mi mujer, y...

10. LA BIOGRAFÍA DE SANDRO ➕ P. 131, EJ. 17-18

A. Estamos en el año 2045 y tienes que escribir la biografía de un compañero. Primero, tienes que hacerle preguntas sobre su pasado y también sobre los proyectos que tiene.

> • ¿Cuándo naciste?
> ○ En 1990.
> • ¿Cuándo terminaste tus estudios?
> ○ En 2012.
> • ¿Cuál es tu trabajo ideal?
> ○ Fotógrafo de famosos.
> • ¿Quieres tener hijos?

PEL **B.** Ahora vas a escribir la biografía de tu compañero. Ten en cuenta que en los próximos años puede haber muchos cambios (políticos, tecnológicos, sociales, etc.).

C. Lee la biografía a los demás. Puedes acompañar tu presentación con una historia ilustrada de su vida.

Sandro nació en Hamburgo en 1990. Terminó sus estudios de Periodismo en 2012. Después estudió Fotografía y en 2018 empezó a trabajar para Vanity Fair como fotógrafo.
En 2020 conoció a Kirsten Stewart en una fiesta en casa de Lady Gaga. Se enamoraron y un año después tuvieron un hijo.

11. UNA NUEVA GENERACIÓN DE ACTORES Y ACTRICES

A. ¿Conoces a alguno de estos actores? Lee los textos y comenta con tus compañeros qué tienen en común.

LAS NUEVAS CARAS DEL CINE ESPAÑOL

Jóvenes, famosos y con una vida profesional prometedora. Estos son algunos de los actores y actrices que, en los últimos años, han renovado la escena cinematográfica española.

Nació en 1988, en Madrid.
Empezó a trabajar como actriz en 2007, en la película *Eskalofrío*.
Se hizo famosa por su papel de Julia en la serie *El internado* y por la película *La piel que habito* (2011), de Pedro Almodóvar, en la que interpreta a la hija de Antonio Banderas. Por ese trabajo fue nominada al Goya como Mejor actriz revelación.
Ha hecho películas como *Los Pelayos* (2012) o *Los amantes pasajeros* (2013).

QUIM GUTIÉRREZ

BLANCA SUÁREZ

MARIO CASAS

Nació en 1981, en Barcelona.
Empezó a trabajar como actor a los 12 años, en una serie de TV3, la televisión catalana.
Se hizo famoso cuando ganó en 2007 el Goya al Mejor actor revelación por la película *AzulOscuroCasiNegro*.
Ha hecho películas como *Primos* (2011), *La cara oculta* (2011), un thriller psicológico que protagoniza con Clara Lago, o *Los últimos días* (2013), en la que actúa con los actores José Coronado y Marta Etura.

Nació en La Coruña, en 1986.
Empezó a trabajar como actor en la película *El camino de los ingleses* (2004).
Se hizo famoso por su papel de Aitor en la serie *Los hombres de Paco*.
Ha hecho películas muy taquilleras, como *Fuga de cerebros* (2009), *Mentiras y Gordas* (2009), *Tres metros sobre el cielo* (2010) o *Tengo ganas de ti* (2012). También tiene un papel protagonista en la película policíaca *Grupo 7* (2012).

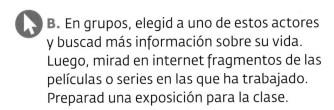

B. En grupos, elegid a uno de estos actores y buscad más información sobre su vida. Luego, mirad en internet fragmentos de las películas o series en las que ha trabajado. Preparad una exposición para la clase.

C. ¿Hay una nueva generación de actores y actrices en tu país? Elige dos y escribe un pequeño texto como los que tienes de modelo.

Nació en…

Empezó a trabajar…

Se hizo famoso/-a…

Ha hecho películas…

Nació en 1990, en Madrid.
Empezó a trabajar como actriz de pequeña, en series como *Manos a la obra* o *Compañeros*.
Se hizo famosa en 2002, cuando a los 12 años interpretó el papel de Carol en *El viaje de Carol*, una película del director Immanol Uribe sobre la Guerra Civil Española. Por esa película estuvo nominada al Goya como Mejor actriz revelación.
Ha hecho películas como *El mal ajeno* (2010), producida por Alejandro Amenábar, *Primos* (2011), *La cara oculta* (2011) o *Tengo ganas de ti* (2012).

CLARA LAGO

 ⊙ VÍDEO aula.difusion.com

⊞ EN CONSTRUCCIÓN

¿Qué te llevas de esta unidad?

Lo más importante para mí:

Palabras y expresiones:

Algo interesante sobre la cultura hispana:

Quiero saber más sobre…

3 YO SOY ASÍ

→ EMPEZAR

1. FAMILIAS DE FAMOSOS ⊕ P. 132, EJ. 1

A. Todas estas personas son conocidas en España. Comenta con un compañero quién se parece a quién.

1. Lolita se parece a ....
2. María y .... se parecen.
3. Bimba se parece a ....
4. Mónica y .... se parecen.

B. ¿Qué relación crees que hay entre las personas que se parecen?

Son hermanos.	Son hermanas.
Son sobrina y tío.	Son tía y sobrina.
Son padre e hija.	Son madre e hija.

C. Comprueba en internet si has acertado y descubre por qué son famosos. Una pista: aquí tienes sus apellidos.

- Flores
- León
- Bosé
- Cruz

www.separecen.dif

¿QUIÉN

LOLITA

MIGUEL

EN ESTA UNIDAD VAMOS A
DESCRIBIR EL PERFIL DE PERSONA IDEAL PARA ALGUIEN QUE BUSCA PAREJA

RECURSOS COMUNICATIVOS
- identificar y describir físicamente a las personas
- hablar de las relaciones y de los parecidos entre las personas

RECURSOS GRAMATICALES
- presentes irregulares: **c > zc**
- **este/-a/-os/-as**, **ese/-a/ -os/-as**, **aquel / aquella / aquellos / aquellas**
- **el / la / los / las** + **de** + sustantivo
- **el / la / los / las** + **que** + verbo

RECURSOS LÉXICOS
- prendas de vestir
- adjetivos de descripción física
- relaciones de pareja
- los verbos **ser**, **tener** y **llevar**
- el verbo **parecerse**
- el verbo **llevarse**

SE PARECE A QUIÉN?

MÓNICA

MARÍA

PENÉLOPE

PACO

BIMBA

ROSARIO

2. UNA WEB DE CONTACTOS ⊕ P. 132, EJ. 2-3

A. ¿En tu entorno es frecuente buscar pareja por internet? ¿Conoces a alguien que haya encontrado pareja así? Coméntalo con tus compañeros.

B. Lee estos anuncios de personas que buscan pareja. ¿Qué perfiles crees que encajan mejor? ¿Por qué?

www.tumedianaranja.dif

Abogado soltero busca...
Me llamo Daniel, tengo 45 años y estoy soltero. Soy moreno, llevo bigote y tengo los ojos verdes. Soy una persona optimista, alegre y, en general, me llevo bien con todo el mundo. Me gusta mucho la jardinería. Quiero conocer a una mujer cariñosa, preferentemente morena y madura, de entre 40 y 45 años, para una relación seria. No importa su situación económica. → ¡CONTACTA!

Vane
Soy una chica joven, estudiante de Turismo. Físicamente, soy alta y delgada, morena y creo que bastante guapa. Tengo los ojos marrones y el pelo largo y muy rizado. De carácter, soy bastante alegre y activa. Quiero conocer a un chico divertido y guapo para salir a bailar, ir al cine, viajar... Me gustan los chicos altos, preferentemente con los ojos claros. → ¡CONTACTA!

Chico explosivo
¡Hola! Me llamo Marcos y tengo 29 años. Mido 1,92 y peso 88 kilos. Soy rubio y tengo los ojos azules. Mis amigos dicen que me parezco un poco a Heath Ledger. Actualmente trabajo en una agencia inmobiliaria. Me encanta viajar, salir de noche y hacer surf. Quiero conocer a una chica alegre, a ser posible alta y guapa. → ¡CONTACTA!

Rosalía
Tengo 39 años y soy secretaria. Soy pelirroja y llevo gafas. Vivo con mi hijo pequeño en una casa con jardín. Me encanta hacer deporte y estar en el campo. Quiero conocer a un hombre soltero, con un trabajo estable y buena situación económica, para casarnos. Me gustan los hombres tranquilos y con buen carácter. Físicamente, prefiero a los hombres rubios. → ¡CONTACTA!

Serguei117
Hola, soy Sergio. Tengo 41 años y desde hace 3 años estoy divorciado. Soy profesor de historia en un instituto. Soy calvo y llevo perilla. Me encanta el deporte y soy bastante atlético. Quiero conocer a una mujer de más de 30 años, simpática y deportista. → ¡CONTACTA!

3. LA BODA DEL HERMANO DE MARÍA DEL MAR ⊕ P. 132, EJ. 4; P. 133, EJ. 6

A. En la boda de su hermano, María del Mar habla con una amiga sobre algunos de los invitados. Escucha e identifica en la ilustración a las personas de las que hablan.

B. Vuelve a escuchar la conversación y escribe qué relación tiene María del Mar con cada una de estas personas.

1. Juan José: ....
2. Isabel: ....
3. Ricardo: ....
4. Aurora: ....
5. Felipe: ....
6. Leonor: ....

C. Intenta describir a alguien de la ilustración. Tu compañero tiene que descubrir de quién se trata.

- Es rubia, tiene el pelo largo y un vestido rojo.
- ¿Esta?
- Sí.

4. ¿CÓMO ERES? ⊕ P. 134, EJ. 7-8

A. Elena y Daniela tienen que encontrarse en la estación de tren, pero no se han visto nunca. Lee los mensajes que se escriben y subraya los verbos **ser**, **tener** y **llevar**. Luego, escribe en el cuadro las palabras con las que se combinan.

Chats	Info

> Hola, Elena.

> Hola.

> Estoy a la salida de la estación. Soy alta y morena. Tengo el pelo negro, largo y rizado. Llevo gafas, un jersey rojo y unos vaqueros.

> Ok. Yo soy bajita y delgada. Llevo un vestido y un gorro blanco en la cabeza. Soy rubia y tengo los ojos verdes.

> ¡Hasta ahora!

> Salgo en un minuto. A ver si nos encontramos...

Ser	Tener	Llevar
alta		

B. Ahora coloca en el cuadro anterior las siguientes palabras y expresiones.

- gordo/-a
- bigote
- pelirrojo/-a
- los ojos negros
- el pelo liso

- barba
- una falda
- una camiseta azul
- simpático/-a
- calvo/-a

5. ME LLEVO MUY BIEN CON... ⊕ P. 136, EJ. 15

A. Lee las opiniones de Luisa sobre cuatro personas. ¿Cómo crees que es su relación con ellas? ¿Buena o mala?

> Luis es un sol. Es la persona más generosa que conozco.

> Carla es una persona muy divertida. Siempre está de buen humor. Me encanta salir con ella.

> Susi tiene algo que no sé... Es una persona muy negativa. Siempre está enfadada. Es muy rara...

> A Fernando no lo soporto. Es la típica persona que nunca te dice las cosas a la cara, siempre critica a la gente.

1. Luisa se lleva ⬤ **bien** / ◯ **mal** con Luis.
2. Luisa se lleva ⬤ **bien** / ◯ **mal** con Carla.
3. Luisa se lleva ⬤ **bien** / ◯ **mal** con Susi.
4. Luisa se lleva ⬤ **bien** / ◯ **mal** con Fernando.

B. Ahora piensa en las personas que conoces. ¿Cómo te llevas con ellos? Escríbelo en tu cuaderno y, luego, cuéntaselo a tus compañeros.

PARA COMUNICAR

Me llevo	(muy) bien regular fatal	con mi hermano / jefe...

> • Yo me llevo muy bien con mi padre, pero...

6. ¿A QUIÉN SE PARECE? P. 136, EJ. 14

A. Escucha esta conversación. ¿Qué relación tienen las personas de las fotos?

06

B. Vuelve a escuchar y contesta estas preguntas.

06

- ¿En qué se parecen Cristina y Guille?
- ¿En qué se parecen Cristina y Joan?
- ¿En qué no se parecen Cristina y Joan?

C. Fíjate en estas frases del diálogo. ¿Entiendes la diferencia entre **parecer** y **parecerse a** alguien?

- ¿Y ese es el padre? ¿Es la pareja de Cristina?
- No, este es el hermano de Cris, Joan. ¿No ves que **se parecen** mucho?
- Sí, es verdad, tienen la misma nariz, la misma sonrisa...
(...)
- **Parece** simpático, ¿no?
- Sí, es muy simpático y muy extrovertido. En eso **se parece a** Cristina.

D. ¿A quién dicen que te pareces? ¿Y tú qué crees? Explícaselo a un compañero.

PARA COMUNICAR

Físicamente / en el carácter **me parezco a**...
Los / las dos tenemos / somos / llevamos...
Tenemos **el mismo / la misma**...

- Mi madre dice que me parezco a mi padre, pero yo creo que físicamente me parezco mucho más a mi madre. Soy alto, como ella, y los dos tenemos los ojos azules. En el carácter me parezco más a mi padre...

7. MIS AMIGOS... ⊕ P. 134, EJ. 9; P. 135, EJ. 10

A. Mar está en Uruguay. Hoy le ha escrito un mail a su hermana y le ha enviado una fotografía. ¿Puedes identificar a sus amigos?

¡Hola Pili!

¿Cómo va todo? ¡Yo genial! Estoy muy contenta de estar aquí ("acá", como se dice aquí en Uruguay). Aparte de estudiar, también he tenido tiempo para ver muchas cosas y para conocer gente. Te envío una foto con mis amigos de aquí: las dos chicas de la izquierda son hermanas. Leila es la morena y Sandra es la que lleva gafas. Son supersimpáticas. El que está entre Sandra y yo es Diego, el novio de Sandra. La chica de la derecha, la de las coletas, se llama Abigail y es la primera persona que conocí al llegar. A ver si vienes a visitarme pronto y los conoces a todos en persona.

¡Muchos besos!

Mar

B. Para identificar algo o a alguien dentro de un grupo podemos utilizar las siguientes estructuras. Marca todos los ejemplos que encuentres en el mail de Mar.

> **el / la / los / las** + adjetivo
> **el / la / los / las** + **de** + sustantivo
> **el / la / los / las** + **que** + verbo

C. Completa las frases siguientes con otras características de las personas de las fotos.

Diego es **el que** ....

Leila es **la que** ....

Abigail es **la** ....

Sandra es **la de** ....

8. ESE CHICO DE AHÍ ⊕ P. 133, EJ. 5

Lee las viñetas y fíjate en los usos de **este**, **ese** y **aquel**. ¿Entiendes cuándo los usamos? ¿Cómo expresas lo mismo en tu lengua?

ASPECTO FÍSICO

ES	TIENE		LLEVA
guapo/-a feo/-a rubio/-a moreno/-a pelirrojo/-a calvo/-a alto/-a bajo/-a* gordo/-a* delgado/-a	el pelo	rubio / gris / negro / blanco / castaño rizado / liso	gorra sombrero camisa
	los ojos	negros / azules / verdes	
	TIENE / LLEVA		
	el pelo barba / bigote / perilla gafas	largo / corto / teñido	

> ❗ * Los adjetivos **bajo/-a** y **gordo/-a** pueden resultar ofensivos. Se suelen utilizar en su lugar los diminutivos **bajito/-a** y **gordito/-a**.

IDENTIFICAR

PRONOMBRES DEMOSTRATIVOS

	MASCULINO SINGULAR	FEMENINO SINGULAR	MASCULINO PLURAL	FEMENINO PLURAL
aquí	**este**	**esta**	**estos**	**estas**
ahí	**ese**	**esa**	**esos**	**esas**
allí	**aquel**	**aquella**	**aquellos**	**aquellas**

- ● ¿Quién es **ese / esa**?
- ○ Mi hermano / hermana.
- ● ¿Quiénes son **esos / esas**?
- ○ Mis hermanos / hermanas.

El / la / los / las PRONOMBRE DEMOSTRATIVO	+ adjetivo
El rubio es mi hermano.	**Ese** rubio es mi hermano.

El / la / los / las PRONOMBRE DEMOSTRATIVO	+ **de** + sustantivo
Los del coche azul son mis vecinos.	**Esos del** coche azul son mis vecinos.

El / la / los / las PRONOMBRE DEMOSTRATIVO	+ **que** + verbo
La que está en la puerta es mi jefa.	**Esa que** está en la puerta es mi jefa.

HABLAR DE PARECIDOS

PARECERSE (C > ZC)

(yo)	me parezco
(tú)	te pareces
(él/ella/usted)	se parece
(nosotros/nosotras)	nos parecemos
(vosotros/vosotras)	os parecéis
(ellos/ellas/ustedes)	se parecen

> ❗ **Parecerse (a)** sirve para hablar de parecidos y se conjuga como un verbo reflexivo o recíproco. **Parecer** sirve para expresar la impresión que nos provoca algo o alguien y funciona como el verbo **gustar**.
>
> Yo me parezco a mi padre. = Mi padre y yo nos parecemos.
> - ● El novio de Ana no **me gusta** nada.
> - ○ Pues a todo el mundo **le parece** muy simpático.

COMO

Soy bastante alto, **como** mi padre.
En el carácter, soy **como** mi madre.

HABLAR DE RELACIONES

IDENTIFICAR

Es un compañero de clase.
Son unos compañeros de trabajo.

Es mi marido.
Son mis hermanos.

Es un/a amigo/-a	**mío/-a** **nuestro/-a**	**tuyo/-a** **vuestro/-a**	**suyo/-a** **suyo/-a**
Son unos/-as amigos/-as	**míos/-as** **nuestros/-as**	**tuyos/-as** **vuestros/-as**	**suyos/-as** **suyos/-as**

VALORAR UNA RELACIÓN

	LLEVARSE	
(yo)	me llevo	
(tú)	te llevas	
(él/ella/usted)	se lleva	
(nosotros/nosotras)	nos llevamos	**bien / mal (con)...**
(vosotros/vosotras)	os lleváis	
(ellos/ellas/ustedes)	se llevan	

- ● Merche **se lleva bien con** Luis, ¿no?
- ○ Sí, **se llevan muy bien**.

RELACIONES DE PAREJA

Estar	casado/-a soltero/-a divorciado/-a separado/-a viudo/-a	**Tener**	pareja novio/-a	**Salir con**	un chico una chica alguien

- ● ¿Sabes si Marta **tiene pareja**?
- ○ Pues creo que **sale con alguien**, pero no estoy seguro.

9. ¿CÓMO ES THOMAS?

A. Observa durante un minuto a todas las personas de la clase e intenta memorizar todos los rasgos de su aspecto. Luego, tu profesor va a dividir la clase en dos grupos (uno de espaldas al otro).

B. Tu profesor va a decir el nombre de una persona del grupo contrario. Entre los miembros del grupo tenéis que escribir todo lo que recordéis (de su físico y de su ropa).

C. Ahora cada grupo lee en voz alta la información que ha recopilado. ¿Qué grupo recuerda más cosas?

- Thomas es muy guapo y tiene los ojos azules.
  - Sí.
- Lleva una camisa negra.
  - Sí.

10. ¿A QUIÉN SE PARECE TU COMPAÑERO?

A. En parejas, elegid a alguien de la clase y pensad a qué personaje famoso se parece. Luego, comentádselo a los demás, que tienen que descubrir quién es.

> • Se parece un poco a Amy Winehouse.
> ○ ¿Valentine?
> • No.
> ○ ¿Julia?
> • ¡Sí!

B. Justificad el parecido ante vuestros compañeros.

> • Julia lleva el pelo como Amy Winehouse y también es morena.

11. BUSCAR PAREJA

A. En parejas vais a escribir el perfil de una persona que busca pareja. Puede ser alguien que conocéis u os lo podéis inventar.

Cómo es físicamente
Cómo es de carácter
A quién se parece
Qué tipo de hombre / mujer le gusta

> • Un amigo mío está soltero.
> ○ ¿Ah sí? ¿Y cómo es?
> • Pues es rubio, tiene los ojos azules...
> ○ ¿Es guapo?
> • Sí, mucho.

PEL **B.** Escribid el anuncio que esa persona envía a una página web de contactos. Luego, colgadlo en la pared de la clase.

C. Leed los anuncios que han escrito vuestros compañeros y buscad alguno que encaje con el que habéis escrito.

Hola, me llamo Damiano y busco una relación estable. Tengo 28 años y mido 1,78. Soy delgado, rubio y tengo los ojos verdes.
Soy una persona muy abierta y me llevo bien con casi todo el mundo. Me encanta estar con mis amigos.
Soy periodista y trabajo en un periódico digital. Vivo en un piso compartido con dos compañeros del trabajo en el centro de Milán.
Me gusta hacer deporte y cuidar mi alimentación. Quiero conocer a una chica de mi edad, morena y con los ojos negros, no muy delgada, simpática y extrovertida, deportista, con interés por la política y la economía.

12. TIPOS DE FAMILIA

A. Lee los siguientes datos publicados en la prensa española entre los años 2011 y 2013. ¿Hay alguno que te sorprenda? ¿Qué cosas crees que son parecidas o distintas en tu país? Coméntalo con tus compañeros.

1. El 67% de los jóvenes de entre 18 y 24 años continúa en casa de sus padres.
2. España, a la cola de la UE en número de bodas, con 3,4 matrimonios por cada 1000 habitantes.
3. Los matrimonios en España se reducen casi a la mitad en los últimos 35 años.
4. El 30% de las personas que comparten piso tiene entre 35 y 44 años.
5. La edad media de la maternidad se eleva a 31,3 años.
6. El promedio de hijos pasa de 1,38 a 1,35.
7. La proporción de bebés de madre no casada se duplica en una década.
8. 22 442 bodas entre personas del mismo sexo de 2005 a 2012.

B. Ahora lee este reportaje. ¿Con qué dato de la actividad anterior puedes relacionar cada tipo de familia? Puede haber más de una opción.

C. ¿Qué modelos de familia existen en vuestro país? Comentadlo con vuestros compañeros.

D. Busca titulares de prensa de tu país sobre los temas del apartado A. ¿Qué diferencias hay entre tu país y España?

Nuevos tipos

En España cada vez hay modelos de familia

Familia monoparental

"Siempre he querido tener un hijo."

Ángela tiene 37 años. Es propietaria de un pequeño negocio. Se divorció y decidió tener un hijo ella sola, por fecundación in vitro. Ahora vive con su hijo en una casa adosada en las afueras de Valencia.

Parejas homosexuales

"Organizamos una gran boda."

Idoia (36) y Rita (38) viven en un ático en el centro de Palma de Mallorca. Idoia es profesora y Nuria es la jefa de Recursos Humanos de una empresa. Desde 2009, están casadas. "Fue una gran alegría. Por fin hicimos realidad nuestro sueño", dice Rita.

Parejas de hecho

"No queremos casarnos."

Lupe, mexicana de 34 años, y Francis, valenciano de 29, hace dos años que viven juntos en un piso en el centro de Madrid. Francis trabaja en un restaurante. Lupe es dependienta en una tienda de moda y, por las tardes, hace un máster en Psicología. No están casados y, por el momento, no piensan tener hijos.

de familia

más diversos. Estos son algunos de ellos.

Familias con hijos adultos y personas mayores a su cargo

"Nuestros hijos no encuentran trabajo."

Pilar y Manuel, 53 y 54 años, viven en León. Él es maestro y ella, ama de casa. Viven con sus dos hijos –Eli, de 30 y Carlos, de 31– y con el padre de Manuel, de 73. Eli y Carlos volvieron al domicilio paterno tras quedarse en paro. "No encontramos nada en Madrid, así que tuvimos que volver al pueblo."

Familias con hijos adoptivos

"Nos costó, pero al final lo conseguimos. Estamos muy contentos."

David es inglés y tiene 47 años y Nuria es española y tiene 44. Los dos son profesores y viven en el centro de Barcelona. Están casados y tienen dos hijos adoptivos de origen etíope.

Personas mayores de 35 años que comparten piso

"Mi sueldo no me permite vivir solo."

Pedro tiene 36 años y es editor. Vive en Madrid, en un piso compartido. Hace dos años se separó de su novia y tuvo que buscarse compañeros de piso. "Si no tienes pareja, es muy difícil poder vivir solo", afirma.

 VÍDEO　aula.difusion.com

⊞ EN CONSTRUCCIÓN

¿Qué te llevas de esta unidad?

Lo más importante para mí:

....
....

Palabras y expresiones:

....
....

Algo interesante sobre la cultura hispana:

....
....

Quiero saber más sobre...

....
....

4 HOGAR, DULCE HOGAR

EMPEZAR

1. VIVIENDAS

A. Mira estos anuncios de viviendas. ¿Qué casa te gusta más? ¿Por qué?

- El chalé
- La casa de campo
- La casa en el pueblo
- El piso
- La casa adosada
- El estudio

> • A mí la que más me gusta es el chalé en Empuriabrava, porque es muy grande.
> ○ Pues yo prefiero el estudio porque...

B. ¿En qué tipo de casa vives en España? ¿Y en tu país?

> • Yo en España vivo en un piso compartido, pero en mi país vivo en una casa de campo.

Se alquila habitación en un piso compartido en Palma de Mallorca. Precio: 250 euros al mes.

Se alquila casa de campo en Altea (Alicante). 80 m². Precio: 900 euros al mes.

EN ESTA UNIDAD VAMOS A
AMUEBLAR UNA CASA Y DISEÑAR UNA VIVIENDA

RECURSOS COMUNICATIVOS

- expresar gustos y preferencias
- describir una casa
- comparar
- expresar coincidencia
- ubicar objetos en el espacio
- describir objetos

RECURSOS GRAMATICALES

- comparativos
- preposiciones: **sin**, **con**, **debajo**, **encima**, **detrás**, **delante**, etc.
- pronombres posesivos: **el mío / la mía**, **el tuyo / la tuya**, **el suyo / la suya**
- usos de **ser** y **estar**
- verbos **gustar**, **encantar** y **preferir**

RECURSOS LÉXICOS

- tipos de vivienda
- partes de una vivienda
- adjetivos para describir una vivienda
- formas, estilos y materiales

Se vende casa en Almagro (Ciudad Real). 150 m². Precio: 60 000 euros.

Se alquila chalé en Empuriabrava (Girona). 300 m². Precio: 3000 euros al mes.

Se vende estudio en Barcelona capital. 40 m². Precio: 180 000 euros

Se vende casa adosada en Peligros (Granada). 270 m². Precio: 250 000 euros.

COMPRENDER

2. PROMOCIONES INMOBILIARIAS ⊕ P. 138, EJ. 1-2

A. En un portal inmobiliario aparecen estos anuncios de pisos y casas de alquiler.
Lee el anuncio del chalé y observa el plano. ¿Identificas algunas partes de la casa?

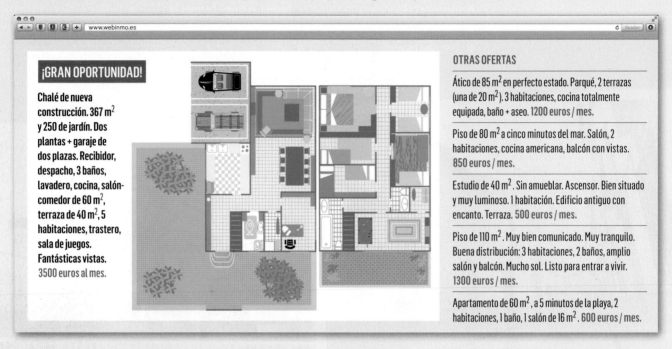

www.webinmo.es

¡GRAN OPORTUNIDAD!

Chalé de nueva construcción. 367 m^2 y 250 de jardín. Dos plantas + garaje de dos plazas. Recibidor, despacho, 3 baños, lavadero, cocina, salón-comedor de 60 m^2, terraza de 40 m^2, 5 habitaciones, trastero, sala de juegos. Fantásticas vistas.
3500 euros al mes.

OTRAS OFERTAS

Ático de 85 m^2 en perfecto estado. Parqué, 2 terrazas (una de 20 m^2). 3 habitaciones, cocina totalmente equipada, baño + aseo. 1200 euros / mes.

Piso de 80 m^2 a cinco minutos del mar. Salón, 2 habitaciones, cocina americana, balcón con vistas. 850 euros / mes.

Estudio de 40 m^2. Sin amueblar. Ascensor. Bien situado y muy luminoso. 1 habitación. Edificio antiguo con encanto. Terraza. 500 euros / mes.

Piso de 110 m^2. Muy bien comunicado. Muy tranquilo. Buena distribución: 3 habitaciones, 2 baños, amplio salón y balcón. Mucho sol. Listo para entrar a vivir. 1300 euros / mes.

Apartamento de 60 m^2, a 5 minutos de la playa, 2 habitaciones, 1 baño, 1 salón de 16 m^2. 600 euros / mes.

B. Lee las otras ofertas. Luego, lee los datos de estas personas. ¿Cuál de las viviendas puede ser más adecuada para cada uno? Coméntalo con un compañero.

ÁLVARO PÉREZ (43) Y LAURA CAPDEVILA (40)
Álvaro es director de una empresa multinacional. Laura es pediatra y tiene la consulta en su domicilio. Tienen dos niños (de 6 y 4 años) y les gusta ir en bici, jugar al tenis y pasear. Tienen un nivel adquisitivo alto.

MIGUEL RUIZ (37) Y CARLA DOMÍNGUEZ (39)
Miguel es músico y Carla es profesora de inglés en un instituto. Tienen un hijo de 2 años y un perro. Les gusta ir al cine, ir a museos y a conciertos. A Mila le gusta mucho nadar. Tienen un nivel adquisitivo medio.

RAÚL TORRES (23)
Es repartidor de pizzas a domicilio. Tiene dos perros y un gato. Le gusta pescar y jugar al baloncesto. Tiene un nivel adquisitivo medio-bajo.

- Yo creo que Álvaro y Laura pueden alquilar el ático.
- No sé, tienen dos hijos y...

 C. En parejas, buscad en un portal inmobiliario una casa o un piso en la ciudad en la que estáis. Mostradles las fotos a los compañeros y explicadles por qué os gusta.

3. INTERIORISMO ⊕ P. 138, EJ. 3; P. 142, EJ. 14

A. En una revista de interiorismo aparece este salón. ¿Qué te parece? Coméntalo con un compañero.

1. Sillón de madera
2. Sofá de tela beis de dos plazas
3. Cojín de varios colores, estilo indio
4. Mesa de centro de mármol
5. Alfombra de fibra vegetal
6. Lámpara negra de pie estilo Berlín
7. Jarrón blanco de cerámica
8. Estantería de madera de roble
9. Cuadro azteca

| acogedor | frío | luminoso |
| oscuro | moderno | clásico |

- A mí me gusta mucho. Es muy moderno.
○ A mí no, me parece muy frío...

B. Ahora fijaos en los muebles y en la decoración. ¿Qué os gusta? ¿Qué no?

- A mí me gusta mucho la lámpara.
○ Sí, es bonita. Pero no me gusta el cuadro.

 C. Marta y Sebas hablan sobre este salón. Anota lo que dicen.

	Marta	Sebas
El salón le parece...		
Qué le gusta		
Qué no le gusta		

4. LA LÁMPARA ESTÁ AL LADO DE LA TELEVISIÓN ⊕ P. 139, EJ. 4

A. Fíjate en estos dos salones y luego lee las descripciones.
¿A qué salón se refiere cada frase?

	A	B
1. Hay una silla **encima de** la mesa.		
2. La lámpara está **a la derecha del** sofá.		
3. Hay una alfombra **debajo del** sofá.		
4. La lámpara está **al lado de** la ventana.		
5. **Entre** la ventana y la televisión hay una estantería.		
6. Hay un cuadro en la pared, **detrás de** la televisión.		
7. **En el centro del** salón hay una mesa de centro con un libro.		
8. La estantería está **a la izquierda de** la televisión.		
9. Hay un libro en el suelo, **delante de** la televisión.		

B. Completa las frases con algunas de las palabras en negrita de la actividad anterior.

En el salón A...
- Hay dos cojines .... el sofá.
- Hay revistas en el suelo, ... el sofá.
- .... la mesa hay una alfombra.

En el salón B...
- Hay una silla .... la mesa de centro.
- Hay una planta .... la lámpara y la televisión.
- Hay un ordenador en la mesa de centro, ... el libro.

5. LA CASA DE JULIÁN ⊕ P. 139, EJ. 6; P. 143, EJ. 17

A. Julián habla con Sara de su nueva casa. Escucha y completa las frases.

08

La casa de Julián...

es ....

está ....

tiene ....

da a ....

B. Observa estos fragmentos de la conversación y completa el cuadro.

1
- Está en el centro histórico de la ciudad, en una zona muy bonita.
- Ajá... **El mío** es más grande, tiene unos 70 metros cuadrados, pero no está en el centro, está en las afueras de la ciudad...

2
- Sí, y tiene una terraza de 15 metros cuadrados.
- ¿Ah sí? Yo también tengo terraza, pero **la mía** es un poco más pequeña.

3
- Mi piso da a una calle peatonal y a un mercado, así que es bastante ruidoso...
- Ah...
- **El tuyo** sí que es tranquilo, ¿no?

POSESIVOS TÓNICOS			
mi terraza →	....	mi piso →	....
tu terraza →	**la tuya**	tu piso →	....
su terraza →	**la suya**	su piso →	**el suyo**

C. ¿Cómo es tu casa en tu país? Explícaselo a un compañero y comparad las dos viviendas.

- *Yo vivo en una casa que da al mar. No es muy grande, pero es muy luminosa y tiene unas vistas preciosas...*
- *Pues la mía...*

PARA COMUNICAR

Vivo en un piso / una casa / un estudio...

Está en el centro / las afueras...

Tiene tres habitaciones / una cocina / 60 metros cuadrados...

Da a una calle / un parque...

Da al mar / campo...

6. ESPAÑOLES EN EL EXTRANJERO ⊕ P. 139, EJ. 5

A. Lee este foro de españoles que buscan piso en el extranjero.
¿Los aspectos que comentan son parecidos en tu ciudad o país?

---

www.vivirfuera.dif

BUSCO PISO

¿Eres español y quieres vivir en el extranjero?
¿Necesitas consejos para encontrar piso?
Escribe tus preguntas en este foro.

Elena: Hola. Me voy de Erasmus a Toulouse. ¿Alguien vive allí? ¿Qué me recomendáis: un piso o una residencia de estudiantes?

Comentarios (3)
Álex: Hola, Elena. Toulouse es una ciudad de estudiantes y es fácil encontrar piso. Además, los alquileres no son **tan** caros **como** en las grandes ciudades de España y hay ayudas para estudiantes.

Inma: Sí, pero una residencia universitaria es también una buena opción. Es **más** barato **que** un piso y te diviertes **más** porque conoces a **más** gente. No tienes **tanto** espacio **como** en un piso, pero las habitaciones no están mal… ¡Yo te lo recomiendo!

Nadia: Los estudiantes en Francia tienen **más** ayudas **que** en España y no gastan **tanto** en cosas como la comida, por ejemplo, porque comer en los restaurantes universitarios es muy barato.

Laia: He encontrado un trabajo en Bruselas. Me voy el mes que viene y busco piso. ¿Qué tengo que saber?

Comentarios (3)
Diego: Hola Laia. En Bruselas, la electricidad y el agua nunca están incluidas en el alquiler. Y piensa que en España hay **menos** meses de frío **que** aquí… O sea, que aquí la calefacción sale más cara…

Raquel: ¡Hola Laia, bienvenida! En Bruselas no hay **tantos** pisos amueblados **como** en España. De hecho, muchos no están amueblados. La mayoría son **más** grandes **que** en España, pero no tienen **tantas** habitaciones. Eso sí, tienen un salón enorme. Y como aquí no hay **tanta** luz **como** allá, no hay persianas. A mí todavía me cuesta dormir bien…

Gerardo: Te recomiendo buscar piso en Schaerbeek o Molenbeek. Son **menos** conocidos **que** otros barrios, pero tienen mucho encanto. Además, no están lejos del centro y los alquileres cuestan **menos que** en otras zonas.

> • En mi país los estudiantes que pagan un alquiler también reciben ayudas del Gobierno.

B. Observa las estructuras que están marcadas en negrita en los textos. Todas sirven para comparar. Clasifícalas en el cuadro.

	Comparar adjetivos	Comparar nombres	Comparar verbos
Superioridad	**Más** + adjetivo (+ **que**) *Más barato que…*	**Más** + nombre (+ **que**)	Verbo + **más** (**que**)
Inferioridad	**Menos** + adjetivo (+ **que**)	**Menos** + nombre (+ **que**)	Verbo + **menos** (**que**)
	No + **tan** + adjetivo (+ **como**)	**No** + **tanto/a/os/as** + nombre (+ **como**)	No + verbo + **tanto** (**como**)

C. Escribe frases comparando las casas de tu ciudad con las de otra ciudad de España.

> *En Londres hay más casas con jardín que en Zaragoza.*

4

EXPRESAR GUSTOS

GUSTAR / ENCANTAR

(A mí)	me		esta casa.
(A ti)	te	gusta	(NOMBRES EN SINGULAR)
(A él/ella/usted)	le	encanta	comer.
(A nosotros/-as)	nos		(VERBOS EN INFINITIVO)
(A vosotros/-as)	os	gusta**n**	estos muebles.
(A ellos/ellas/ustedes)	les	encanta**n**	(NOMBRES EN PLURAL)

PREFERIR

(yo)	pref**i**ero	
(tú)	pref**i**eres	este sofá / estas sillas.
(él/ella/usted)	pref**i**ere	(NOMBRES)
(nosotros/-as)	preferimos	vivir sola / tener jardín.
(vosotros/-as)	preferís	(VERBOS EN INFINITIVO)
(ellos/ellas/ustedes)	pref**i**eren	

EXPRESAR COINCIDENCIA

Tenemos	los mismos gustos.
	gustos (muy) parecidos.
	gustos (muy) diferentes.

MATERIAL

una silla / mesa **de** madera / metal / cristal / mármol / plástico / hierro / cartón / tela / mimbre / papel / piedra...
un armario metálico / una mesa metálica

- ● *¿De qué es esta silla?*
- ○ *De aluminio.*

UBICAR

debajo (de)   **encima (de)**   **detrás (de)**   **delante (de)**   **entre**

a la derecha (de)   **a la izquierda (de)**   **al lado (de)**   **en el centro (de)**

*No es bueno poner la cama **debajo de** una ventana.*

*¿Te gusta el sofá aquí, **entre** los dos sillones?*

 Recuerda: **de** + **el** = **del**.

SIN / CON / DE / PARA 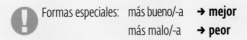 P. 143, EJ. 15

una casa	**con** / **sin** vistas / jardín / piscina... (NOMBRE)
	de madera / piedra / ladrillo... (NOMBRE)
	para vivir / ir de vacaciones... (INFINITIVO)
	para las vacaciones / los fines de semana (NOMBRE)

COMPARAR

SUPERIORIDAD

CON NOMBRES	Madrid tiene **más** parques **que** Barcelona.
CON ADJETIVOS	Madrid es **más** grande **que** Barcelona.
CON VERBOS	En Madrid la gente sale **más que** en Barcelona.

! Formas especiales: más bueno/-a   → **mejor**

                       más malo/-a   → **peor**

IGUALDAD

CON NOMBRES

Esta casa tiene	**tanto** espacio	
	tanta luz	**como** la otra.
	tantos balcones	
	tantas habitaciones	

CON ADJETIVOS

*Aquí las casas son **tan** caras **como** en mi ciudad.*

CON VERBOS

*Aquí la gente sale **tanto como** en España.*

INFERIORIDAD

CON NOMBRES

*Mi casa tiene **menos** balcones **que** esta.*

Esta casa no tiene	**tanto** espacio	
	tanta luz	**como** la otra.
	tantos balcones	
	tantas habitaciones	

CON ADJETIVOS

*Esta casa es **menos** luminosa **que** la otra.*
*Aquí las casas no son **tan** caras **como** en mi ciudad.*

CON VERBOS

*Aquí la gente sale **menos que** en España.*
*Aquí la gente **no** sale **tanto como** en España.*

7. COSAS IMPRESCINDIBLES

➕ P. 140, EJ. 7-9; 142, EJ. 12-13

A. En parejas, os vais a instalar en una casa nueva. ¿Qué cosas consideráis imprescindibles para vivir? Elegid cinco entre las siguientes y luego pensad o buscad en internet otras tres. Tenéis un presupuesto de 1500 euros.

sofá 350 €

sillón 250 €

lámpara de pie 70 €

armario 400 €

frigorífico 500 €

lámpara de mesa 35 €

televisión 220 €

mesa de centro 45 €

estantería 120 €

mesa 120 €

silla 80 €

espejo 80 €

lavavajillas 350 €

cama 500 €

lavadora 300 €

- *Para mí, lo más imprescindible es el frigorífico.*
- ○ *Sí, y también la cama, ¿no?*
- *Sí, claro, eso también es importante.*

B. Este es el plano de vuestra casa. ¿Dónde colocáis cada mueble?

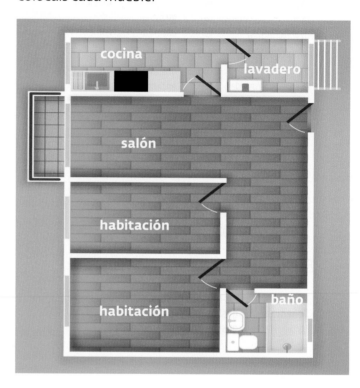

cocina

lavadero

salón

habitación

habitación

baño

PARA COMUNICAR

¿**Y si** ponemos la lavadora **en la cocina / en el baño**?

¿**Qué te parece si** colocamos la lavadora **en / al lado de / a la derecha de**...?

¿**Por qué no** ponemos la lavadora **aquí**?

- *¿Ponemos la lavadora en el baño?*
- ○ *No, mejor en la cocina, ¿no?*

C. Ahora, explicad al resto de la clase qué muebles y electrodomésticos habéis elegido y dónde los habéis colocado.

- *Para nosotros, las cosas imprescindibles son...*

- *El frigorífico, lo ponemos en la cocina, al lado de...*

8. MI LUGAR FAVORITO

A. Estas personas nos hablan de su lugar favorito de su casa. Escucha y completa el cuadro.

09-12

Nombre	Lugar favorito	Actividades
Jorge		
Fiona		
Pedro		
Carolina		

B. ¿Cuál es tu lugar favorito de tu casa? ¿Por qué? Coméntalo con tu compañero.

- *Mi lugar favorito es la cocina, porque me encanta cocinar.*
- *Pues el mío es el balcón, porque me encanta ver pasar a la gente.*

C. ¿En qué lugar de la casa haces cada una de estas actividades? Escríbelo, y luego coméntalo con tu compañero.

- estudiar
- escuchar música
- vestirte
- leer
- usar el ordenador
- estar con tus amigos

- hacer los deberes
- ver la televisión
- maquillarte / afeitarte
- reunirte con la familia
- echar la siesta
- desayunar

- *Yo normalmente estudio en mi habitación. ¿Y tú?*
- *Depende. A veces en mi habitación y a veces en el salón.*

9. LA CASA IDEAL

A. En parejas, vais a diseñar viviendas para un grupo de personas. Elegid uno de estos.

- jubilados
- estudiantes
- familias numerosas
- artistas

- profesionales (maestros, policías, médicos, etc.)
- otros

B. Decidid cuáles pueden ser las características de una vivienda ideal para este tipo de público.

PARA COMUNICAR

Ser céntrica / no muy cara / espaciosa...
un chalé / un ático...
Estar en el centro de la ciudad / en la sierra...
Tener mucho espacio / hospitales cerca...

- *Yo creo que una vivienda para estudiantes tiene que ser céntrica y estar bien comunicada.*
- *Sí, y tener restaurantes y tiendas cerca.*
- *Y sobre todo tiene que ser barata.*

 C. Preparad una presentación para vuestros compañeros. Podéis acompañarla con fotos o dibujos.

Tipo de público
Dónde están situadas las viviendas
Precio
Características de las viviendas

 D. Escribid un anuncio publicitario para anunciar vuestro proyecto.

EDIFICIO LA OLA
Estudios económicos. En pleno centro. 35 m².
Completamente amueblados. Calefacción y aire
acondicionado. Ideales para estudiantes. A un minuto de
la biblioteca municipal. Wifi gratis en todo el edificio...

10. CASAS CON HISTORIA

A. ¿Sabes quiénes son Pablo Neruda, Frida Kahlo y Manuel de Falla?
¿Sabes dónde vivieron?

CASAS ÚNICAS

Nuestra casa es parte de nosotros mismos, la hacemos a nuestra medida y en ella guardamos objetos y recuerdos de momentos vividos. Por eso algunas casas donde vivieron personas conocidas se convierten en lugares de interés histórico. Cuando las visitamos, nos podemos imaginar la vida cotidiana de esas personas y ver sus espacios preferidos o sus objetos más queridos. Estas son las casas de tres artistas hispanos que han pasado a la historia.

Casa museo de Pablo Neruda

Esta fue la casa preferida de Neruda en Chile. En ella escribió parte de su obra literaria y en ella murió. Está en Isla Negra, al lado del mar, y tiene unas vistas espectaculares. Tiene forma de barco y, como los barcos, tiene el techo bajo y es de madera. Pablo Neruda le compró la casa en 1937 a un marinero español y después la amplió. La parte original es de piedra y la otra, de madera.

La casa azul

En esta casa nació, vivió y murió la pintora mexicana Frida Kahlo. Se encuentra en Coyoacán, uno de los barrios más antiguos de Ciudad de México. Cuenta con más de 800 m^2 y está pintada de azul por dentro y por fuera. Tiene grandes ventanales y en el centro hay un bonito jardín. Además de Frida Kahlo, allí vivió Diego Rivera (pintor y marido de Frida). Actualmente es uno de los museos más visitados de México y tiene una colección importante de cuadros de los dos pintores.

Hay muchas otras casas museo en países de habla hispana.

Casa museo de Dalí (Port Lligat, España)
Casa museo de Che Guevara (Alta Gracia, Argentina)
Casa museo Simón Bolívar (Caracas, Venezuela)
Casa museo Sorolla (Madrid, España)

Casa natal de Cervantes (Alcalá de Henares, España)
Casa museo Horacio Quiroga (San Ignacio, Argentina)
Casa museo Antonio Machado (Segovia, España)
Casa museo Carlos Gardel (Buenos Aires, Argentina)

B. Ahora lee el reportaje. ¿Cuál de las casas te gustaría visitar? ¿Por qué?

 C. En parejas, elegid una de las casas de la lista u otra que conocéis y buscad imágenes en internet. Luego presentadla a vuestros compañeros y mostradles las fotos.

D. Piensa en una casa en la que has vivido y que es especial para ti. Cuenta a tus compañeros cómo es y por qué te gusta.

Casa museo Manuel de Falla

El compositor Manuel de Falla vivió en esta casa de 1922 a 1939, año en el que se exilió en Argentina. Es un típico carmen de Granada: una casa blanca, de piedra, con ventanas azules y jardín. Tiene unas vistas preciosas de Granada. En la planta baja hay una cocina y un salón, y en la parte de arriba están las habitaciones y la sala del piano. Después de marcharse a Argentina, Falla no volvió nunca a esta casa, pero el ayuntamiento de Granada la ha rehabilitado y la ha convertido en un museo en el que se pueden ver los objetos personales (libros, partituras, cuadros) y muebles que Falla dejó.

⊙ VÍDEO   aula.difusion.com

⊞ EN CONSTRUCCIÓN

¿Qué te llevas de esta unidad?

Lo más importante para mí:

. . . .

. . . .

Palabras y expresiones:

. . . .

. . . .

Algo interesante sobre la cultura hispana:

. . . .

. . . .

Quiero saber más sobre...

. . . .

. . . .

5 ¿CÓMO VA TODO?

→ EMPEZAR

1. UN DOMINGO EN LA PLAZA

A. Fíjate en la ilustración. ¿Quién está haciendo cada una de estas cosas?

○ Están pidiendo en un bar.

○ Están despidiéndose.

○ Está tocando la guitarra.

○ Están charlando.

○ Están jugando.

○ Están comiendo.

B. ¿A qué dos situaciones de la ilustración corresponden estos diálogos?

○ • Hola, ¿qué les pongo?
   ○ Una caña, por favor.
   • Para mí un agua con gas.

○ • ¡Hasta luego!
   ○ ¡Nos vemos, adiós!

EN ESTA UNIDAD VAMOS A

SIMULAR SITUACIONES DE CONTACTO SOCIAL UTILIZANDO DIFERENTES NIVELES DE FORMALIDAD

RECURSOS COMUNICATIVOS

- desenvolvernos en situaciones muy codificadas: invitaciones, presentaciones, saludos, despedidas
- pedir cosas, acciones y favores
- pedir y conceder permiso
- dar excusas y justificar

RECURSOS GRAMATICALES

- el gerundio (formas regulares e irregulares)
- **estar** + gerundio
- condicional

RECURSOS LÉXICOS

- saludos y despedidas
- verbos de cortesía: **poder, importar, ayudar, poner**
- **dar, dejar** y **prestar**

2. SALUDOS Y DESPEDIDAS ⊕ P. 149, EJ. 15-16

A. Lee estas cuatro conversaciones. ¿A qué fotografía corresponde cada una? Márcalo. ¿En cuáles se saludan? ¿En cuáles se despiden?

- Bueno, pues nada, que me tengo que ir, que tengo que hacer la cena todavía... Me alegro mucho de verla...
- Sí, yo también. Venga, pues, adiós. ¡Y recuerdos a su familia!
- Igualmente. ¡Y un abrazo muy fuerte a su hija!
- De su parte. ¡Adiós!
- Adiós.

- Bueno, me voy...
- Vale, pues nos llamamos, ¿no?
- Sí, venga, te llamo.
- ¡Hasta luego!
- ¡Nos vemos!

- Hombre, Manuel, ¡cuánto tiempo sin verlo! ¿Cómo va todo?
- Bien, bien, no me puedo quejar. ¿Y usted cómo está?
- Pues hombre, tirando...
- ¿Y la familia?
- Bien, gracias.

- ¡Hola Susana! ¿Qué tal?
- Bien, muy bien. ¿Y tú? ¿Cómo estás?
- Muy bien también. ¡Cuánto tiempo!
- Pues por lo menos un año..., ¿no?
- Más, creo.

B. ¿Conoces otras formas de saludarse o de despedirse? ¿La gente se saluda de la misma manera en tu país? ¿Qué gestos acompañan a los saludos?

3. ¿ME PRESTAS 5 EUROS?

A. Observa las ilustraciones. ¿Qué relación crees que tienen estas personas entre ellas? ¿Qué crees que pasa en cada situación?

B. Ahora, escucha las conversaciones y comprueba tus hipótesis. ¿Cuáles de estas cosas hacen los protagonistas en cada una de las situaciones? Márcalo en la tabla.

13-18

	1	2	3	4	5	6
pedir un favor						
pedir permiso						
justificarse						
agradecer						
presentar a alguien						
interesarse por la vida de alguien						
pedir algo a un camarero						

4. ¿QUÉ ESTÁN HACIENDO?

A. ¿A qué frases corresponden estas imágenes?

1. ¿Diga? Sí. **Estoy saliendo** de casa. En cinco minutos estoy allí.
2. **Estás** trabajando demasiado. Necesitas unas vacaciones.
3. Normalmente **voy** al trabajo en moto.
4. **Estoy esperando** a Luis. Llega en el tren de las diez.
5. Pues ahora **estoy saliendo** con Jorge. Es un compañero de la facultad.
6. **Estamos comiendo** un jamón buenísimo. ¿Quieres probarlo?
7. Mi madre **está haciendo** cordero asado.
8. Señores pasajeros, **estamos volando** sobre los Pirineos, a 9000 metros de altitud.
9. ¿En Málaga? Muy bien, es una ciudad maravillosa. **Estamos viviendo** en un apartamento fantástico al lado de la playa.
10. Creo que voy a tener que hacer una dieta para adelgazar. Es que **como** demasiados dulces.

B. Las frases anteriores hacen referencia a acciones relacionadas con el presente, pero con matices diferentes. Fíjate en los verbos resaltados y marca la casilla correspondiente en la tabla.

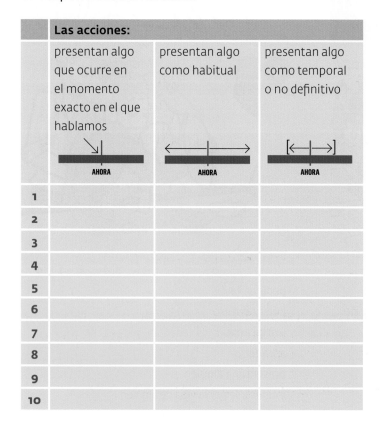

	Las acciones:		
	presentan algo que ocurre en el momento exacto en el que hablamos ↓ AHORA	presentan algo como habitual ←→ AHORA	presentan algo como temporal o no definitivo [←→] AHORA
1			
2			
3			
4			
5			
6			
7			
8			
9			
10			

C. En algunas de las frases anteriores encontramos una nueva estructura: **estar** + gerundio. Escribe en tu cuaderno los gerundios que aparecen y, al lado, los infinitivos correspondientes. ¿Cómo se forma el gerundio?

En los verbos acabados en **-ar** el gerundio acaba en ....

En los verbos acabados en **-er** e **-ir** el gerundio acaba en ....

5. ESTÁN CANTANDO ⊕ P. 145, EJ. 4-5; P. 146, EJ. 6

Esta es una comunidad de vecinos un poco especial. ¿Qué están haciendo en cada vivienda? Escríbelo. Usa las expresiones siguientes.

- leer
- jugar al bingo
- dormir

- escuchar música
- tocar la batería
- cantar

- hacer yoga
- peinar a su gato
- ver la televisión

puerta 1: ....

puerta 2: ....

puerta 3: ....

puerta 4: ....

puerta 5: ....

puerta 6: ....

puerta 7: ....

puerta 8: ....

puerta 9: ....

6. PETICIONES

A. Observa las expresiones marcadas en negrita. ¿Para qué crees que sirven: para pedir permiso (P) o para pedir un favor (F)?

- ¿**Me puede abrir** la puerta?
- Disculpe, ¿**podría abrirme** la puerta?

- ¿**Le importa abrirme** la puerta?
- ¿**Le importa si abro** la puerta?
- ¿**Puedo abrir** la puerta?

- ¿**Me abre** la puerta, por favor?
- ¿**Le importaría abrirme** la puerta, por favor?

B. De las formas anteriores, ¿cuáles crees que son más directas? ¿De qué factores crees que depende escoger una u otra?

7. ¿ME DEJAS O ME DAS? ⊕ P. 146, EJ. 9

A. Observa estas viñetas. ¿Entiendes cuándo usamos **dejar** y cuándo **dar**?

B. Lee estas frases y marca, en cada caso, en qué situación o con qué intención se dicen.

1. ¿Me das una hoja de papel?
- **a.** Pensamos devolverla.
- **b.** No pensamos devolverla.

2. ¿Me dejas un lápiz?
- **a.** Estás comprando en una tienda.
- **b.** Estás en clase.

3. ¿Me dejas la chaqueta negra de piel?
- **a.** La chaqueta es de la otra persona.
- **b.** La chaqueta es tuya.

8. ES QUE...

A. Lee estos diálogos. ¿Qué crees que significa **es que**? ¿Para qué crees que sirve?

- Oye, ¿quieres ir al cine este sábado?
- ○ **Es que** el sábado voy de excursión con unos amigos. Pero podemos ir el domingo, si quieres.

- Otra vez llegas tarde... ¿Qué ha pasado, te has dormido?
- ○ No... **Es que** he tenido un problema con el autobús. Lo siento mucho.

B. Ahora, responde a estas preguntas con la excusa más original, divertida o surrealista que se te ocurra.

1
- **Tu profesor:** ¿Así que no has hecho los deberes?
- ○ **Tú:** ....

2
- **Un amigo íntimo:** ¿Me puedes dejar tu coche?
- ○ **Tú:** ....

3
- **Tu madre:** ¿Por qué no viniste a verme ayer?
- ○ **Tú:** ....

4
- **Tu jefe:** ¡Has llegado una hora tarde!
- ○ **Tú:** ....

5
- **Tu vecino:** ¿Puedes hacer menos ruido, por favor? Son las 12 h.
- ○ **Tú:** ....

6
- **Un conocido que no te cae muy bien:** ¿Quedamos este sábado para tomar algo?
- ○ **Tú:** ....

ESTAR + GERUNDIO ⊕ P. 144, EJ. 3

Cuando presentamos una acción o situación presente como algo temporal o no definitivo, usamos **estar** + gerundio.

	ESTAR	+ GERUNDIO
(yo)	**estoy**	
(tú)	**estás**	
(él/ella/usted)	**está**	trabaj**ando**
(nosotros/nosotras)	**estamos**	com**iendo**
(vosotros/vosotras)	**estáis**	dic**iendo**
(ellos/ellas/ustedes)	**están**	

Estoy trabajando de camarero en una discoteca.

A veces podemos expresar lo mismo en presente con un marcador temporal: **últimamente**, **estos últimos meses**, **desde hace algún tiempo**...
*Desde hace algún tiempo **trabajo** de camarero en una discoteca.*

Cuando queremos especificar que la acción se está desarrollando en el momento preciso en el que estamos hablando, usamos **estar** + gerundio.
*No se puede poner al teléfono, **se está duchando**.*
No se puede poner el teléfono, ~~se ducha~~.

GERUNDIOS REGULARES		GERUNDIOS IRREGULARES	
habl**ar**	→ habl**ando**	l**ee**r	→ le**yendo**
beb**er**	→ beb**iendo**	**o**ír	→ o**yendo**
escrib**ir**	→ escrib**iendo**	d**ec**ir	→ diciendo
		d**o**rmir	→ durmiendo

PEDIR OBJETOS, ACCIONES Y FAVORES
⊕ P. 146, EJ. 7; P. 148, EJ. 12

PEDIR UN OBJETO

Dependiendo de la situación, del interlocutor y de la dificultad que implica la petición, usamos una u otra estructura.

	TÚ	USTED
+ FORMAL + DIFÍCIL	¿Me podrías dejar / dar...?	¿Me podría dejar / dar...?
↓	¿Me puedes dejar / dar...?	¿Me puede dejar / dar...?
- FORMAL - DIFÍCIL	¿Me dejas / das...?	¿Me deja / da...?

Dar: para pedir un objeto que no pensamos devolver.
*¿**Me das** un vaso de agua, por favor?*

Pasar: para pedir que nos acerquen un objeto.
*¿**Me pasas** la chaqueta, por favor?*

Prestar o **dejar:** para pedir un objeto ajeno.
*¿**Me prestas / dejas** tu coche este fin de semana?*

Tener: para pedir algo que no sabemos si la persona tiene.
*¿**Tienes** un bolígrafo?*

Poner: para pedir algo en un bar o en una tienda de alimentación.
*¿**Me pone** un cortado, por favor?*
*¿**Me pone** dos kilos de naranjas, por favor?*

PEDIR UN FAVOR

Para pedir una acción, usamos las mismas estructuras que para pedir un objeto.
*¿**Podría decirme** la hora, si es tan amable?*
*¿**Puede ayudarme** con el carrito, por favor?*
*¿**Me ayudas** un momento con esta traducción, por favor?*

También podemos utilizar el verbo **importar** (en presente o en condicional) seguido de infinitivo.
*¿**Te importa / importaría** pasar por casa esta tarde?*

PEDIR Y CONCEDER PERMISO ⊕ P. 146, EJ. 10

Para pedir permiso, usamos el verbo **poder** (en presente o en condicional) seguido de infinitivo.
● *¿**Puedo / Podría dejar** la bolsa aquí un momento?*
○ *Sí, sí, claro.*

También podemos usar **importar si** + presente de indicativo.
● *¿**Te importa si hago** una llamada?*
○ *No, no. En absoluto.*

DAR EXCUSAS O JUSTIFICARSE

Es una norma de cortesía casi obligada explicar o justificar por qué rechazamos una invitación o por qué nos negamos a hacer un favor. Esa justificación se suele introducir con **es que**.
● *¿Vienes a cenar el sábado?*
○ *No puedo. **Es que** tengo que estudiar.*

Es que también sirve para justificar una petición.
*¿Puedo cerrar la ventana? **Es que** entra mucho ruido.*

SALUDOS Y DESPEDIDAS

Y la familia, ¿qué tal?
Y tu/su mujer, ¿cómo está?
¡Recuerdos a tu/su familia!

¡Saludos a Pedro!
¡Dale/dele un beso a tu/su madre!

PRACTICAR Y COMUNICAR

9. EN UN AVIÓN

Imagina que estás en un avión. ¿Qué cosas pides en las siguientes situaciones? ¿Cómo? Escríbelo en tu cuaderno. Luego, compáralo con un compañero.

 Está pasando la azafata con un carrito con bebidas. Tienes mucha sed.

 Un chico está escuchando música a todo volumen.

 Quieres poner tu maleta en el portaequipajes y no puedes. Hay una azafata cerca.

 Unos niños están dando golpes en el respaldo de tu asiento. Su madre está durmiendo.

 Te gustaría leer algo. Una chica que está sentada cerca tiene muchos periódicos y revistas.

 A tu lado hay una pareja que habla muy alto. Tú quieres dormir.

10. ¡OIGA, CÁLLESE!

A. Liberto, "el educado", y Roberto, "el maleducado", son hermanos gemelos, pero muy diferentes. Fíjate en cómo reaccionan en estas situaciones. ¿Cuál crees que dice cada cosa: Liberto (L) o Roberto (R)?

 LIBERTO

 ROBERTO

1. Si vas al súper, ¿me traes un zumo de naranja, por favor?
 a. ¿Por qué no vas tú?
 b. Es que no pensaba volver a casa. Lo siento.

2. Oiga, perdone, ¿le importaría dejarme pasar? Es que tengo prisa...
 a. Lo siento mucho, pero es que yo también tengo prisa.
 b. Todos tenemos prisa.

3. Oiga, sabe si se pueden hacer fotos en el museo?
 a. Lo siento, está prohibido. Pero si quiere, en la tienda venden postales de los cuadros.
 b. Está prohibido.

4. ¿Te apetece un chocolate?
 a. No.
 b. No, gracias, es que estoy a régimen.

5. (Están en el cine y la mujer de al lado no deja de hablar.)
 a. Oiga señora, ¿podría hablar más bajito, por favor? Es que no se oye nada.
 b. Señora, ¿sería tan amable de callarse? Muchísimas gracias.

6. Oye, perdona, ¿tienes un boli?
 a. En la esquina hay una papelería.
 b. Es que solo tengo este. Lo siento.

B. En parejas, preparad dos respuestas negativas para cada una de estas peticiones: una educada y otra maleducada. Vuestros compañeros tienen que detectar cuál es cada una.

- ¿Puedo ir un momento al baño?
- ¿Me dejas tu libro un momento, por favor?
- ¿Me puedo quedar a dormir en tu casa esta noche? Es que he perdido el autobús.
- ¿Me pasas la sal?
- ¿Tienes hora?
- Perdone, ¿me deja pasar? Es que me bajo en la próxima.

11. ESTOY BUSCANDO TRABAJO

A. ¿Estás haciendo estas cosas actualmente? Márcalo.

1. Estoy haciendo régimen.	✓
2. Estoy buscando trabajo.	✗
3. Estoy leyendo un libro en español.	✓
4. Estoy escribiendo un diario.	
5. Estoy ahorrando para comprar algo.	✓
6. Estoy trabajando los fines de semana.	✓
7. Estoy estudiando otro idioma.	✓
8. Estoy haciendo bastante deporte.	

B. Compara tus respuestas con las de un compañero. ¿Tenéis cosas en común?

> • *Jasmina y yo tenemos bastantes cosas en común. Las dos estamos leyendo un libro en español...*

12. ¿CÓMO LO DICES?

A. Escucha esta conversación. ¿A cuál de las siguientes situaciones corresponde?

19

1. Alguien está pidiendo dinero.

2. Un chico pide prestado el coche a su amiga.

3. Alguien pide disculpas a su jefa.

4. Alguien da las gracias a una amiga.

B. En parejas, vais a representar una de estas cuatro situaciones. Elegid una y pensad qué vais a decir para conseguir vuestros objetivos.

1

A: Te encuentras a un vecino en el supermercado. Llevas muchas bolsas porque has comprado para todo el mes. No lo conoces mucho, pero os saludáis todos los días. Quieres volver a casa con él en su coche.

B: Estás en el supermercado y te encuentras a un vecino que no te cae muy bien. Tienes algo de prisa porque has quedado.

2

A: Estás en una floristería en la que has comprado bastantes veces. Tienes que comprar urgentemente un ramo de flores para hacer un regalo. Te das cuenta de que no llevas dinero en metálico ni tampoco la tarjeta de crédito. Quieres decirle al dependiente que vas a pagarle otro día.

B: Trabajas en una floristería. En la tienda hay un cliente que no conoces y que no te inspira confianza.

3

A: Tus padres van a visitarte dentro de un par de días. Compartes piso con un amigo y tenéis turnos para limpiar. La casa está desordenada y sucia. ¿Cómo le dices a tu compañero de piso que tiene que limpiar la casa?

B: Estás algo molesto con tu compañero de piso porque siempre está dando órdenes. Además, hace poco tú le pediste un favor y él no lo hizo.

4

A: Hace dos meses prestaste 200 euros a un amigo, pero todavía no te los ha devuelto. Crees que no se acuerda, pero necesitas el dinero. Hoy estáis tomando un café los dos en un bar. ¿Cómo se lo pides?

B: Estás tomando un café con un amigo. Hace tiempo le pediste dinero pero todavía no se lo has devuelto. Ahora mismo no tienes mucho dinero y quieres pedirle otros 200 €.

PEL **C.** Ahora, vais a representar la situación. Pensad cómo vais a reaccionar y qué entonación vais a adoptar (podéis grabarlo para evaluar vuestra producción oral). Vuestros compañeros tienen que decidir si habéis sido amables, educados, bruscos...

VIAJAR

13. VIDA EN LAS PLAZAS

A. Lee este texto. ¿Sabes de qué ciudades españolas hablan?

PLAZA MAYOR

La Plaza Mayor es el principal lugar de encuentro para la gente de la ciudad. En la plaza hay terrazas donde tomar algo, leer el periódico y charlar con los amigos, pero también es el escenario de numerosas actividades: conciertos, festivales de teatro, procesiones de Semana Santa, fiestas populares, etc. Además, alrededor de la plaza están los mejores restaurantes de la ciudad, en los que se celebra cada año el famoso concurso de tapas.

PLAZA DE LA CEBADA

La Plaza de la Cebada es una de las plazas más antiguas de la ciudad. Está en el barrio de La Latina, una de las zonas más de moda y concurridas de la capital. Un domingo soleado la plaza está abarrotada de gente incluso sentada en el suelo. Es un lugar ideal para tomar un aperitivo, comer unas tapas o disfrutar de unas cervezas con los amigos.

PLAZA DEL SOL

Es uno de los espacios más clásicos en el barrio de Gracia, muy frecuentado durante todo el día, pero sobre todo por la noche. Es un lugar muy animado, especialmente durante las noches del fin de semana, con muchísimos jóvenes en las terrazas de los bares y en los bancos y músicos callejeros que animan el ambiente.

B. En España las plazas son muy importantes como lugar de encuentro y contacto social. ¿Es así en tu país? ¿Dónde se suele reunir la gente? ¿Cuándo?

- • En mi país la gente suele reunirse en el pub.
- ○ Sí, y también en casas de amigos, ¿no?

C. Busca información en internet sobre un lugar de tu país (u otro) con mucha vida (una plaza, una calle...). Prepara una pequeña presentación y exponla en clase.

 VÍDEO aula.difusion.com

⊕ EN CONSTRUCCIÓN

¿Qué te llevas de esta unidad?

Lo más importante para mí:

Palabras y expresiones:

Algo interesante sobre la cultura hispana:

Quiero saber más sobre...

6 GUÍA DEL OCIO

→ **EMPEZAR**

1. LAS FOTOS DE ESTE FIN DE SEMANA

A. ¿Cuáles de estas cosas han hecho Pili y Toni este fin de semana?

- ✓ han comido con unos amigos
- han ido a la playa
- han salido por la noche
- ✓ han ido a una exposición
- han ido a un concierto
- ✓ han jugado al ajedrez
- ✓ han estado en un parque
- ✓ han ido a comprar a un mercado
- ✓ han visto una película en casa
- han ido al cine

B. ¿Y tú? ¿Qué has hecho este fin de semana?

misalbumesdefotos.dif

Mis fotos

EN ESTA UNIDAD VAMOS A

PLANIFICAR UN FIN DE SEMANA EN UNA CIUDAD ESPAÑOLA

RECURSOS COMUNICATIVOS

- hablar de actividades de ocio
- hablar de horarios
- relatar experiencias pasadas
- describir lugares
- hablar de intenciones y proyectos

RECURSOS GRAMATICALES

- el pretérito perfecto
- **ya** / **todavía no**
- **ir a** + infinitivo
- **querer** / **pensar** + infinitivo

RECURSOS LÉXICOS

- actividades y lugares de ocio
- viajes

2. GUÍA DEL OCIO ⊕ P. 150, EJ. 1-2; P. 151, EJ. 3-4; P. 154, EJ. 15

A. Aquí tienes un fragmento de una guía del ocio de Madrid. Fíjate en el texto y comenta con tus compañeros las siguientes cuestiones.

- ¿Qué tipo de texto es?
- ¿Qué tipo de información vas a encontrar en él?
- ¿Lees este tipo de textos a menudo?

- ¿Lees toda la información en un texto como este?
- ¿Lo lees igual que un artículo de prensa o que un poema?
- ¿Crees que es imprescindible entender todas las palabras?

QUÉ HACER HOY

BARES Y DISCOTECAS

Berlín Cabaret. Costanilla de San Pedro, 11. Metro La Latina. ✆ 91 3662034. Bar con actuaciones en directo. Abierto todos los días de 22 a 5 h. Viernes, sábados y vísperas de festivo hasta las 6 h. Domingos cerrado.
www.berlincabaret.com

Casa Patas. Cañizares, 10. Metro Antón Martín. ✆ 91 3690496. Tablao flamenco y restaurante. Especialidad en rabo de toro. Precio medio: de 18 a 34 €. Abierto todos los días de 22:30 a 24 h. Viernes y sábados de 21 a 2 h.
www.casapatas.com

Joy Eslava. Arenal, 11. Metro Sol, Ópera. ✆ 91 3663733. Discoteca. Abierto todos los días de 23 a 5:30 h. Entrada: 13 € con consumición. Viernes y sábados hasta las 6:30 h. Entrada 18 €.
www.joy-eslava.com/Joy_Madrid

Del Diego. Calle de la Reina, 12. Metro Gran Vía, Chueca. ✆ 91 5233106. Todo un clásico de la coctelería en Madrid. Disfrutar de un cóctel de ensueño y de un servicio que raya la perfección son sinónimos de Del Diego. Abierto de 19 a 3 h.
www.deldiego.com

MUSEOS

Museo del Prado. Pº del Prado, s/n. Metro Banco de España, Atocha. ✆ 91 3302800. Uno de los museos más completos y visitados del mundo. Horario de 9 a 19 h de martes a domingo (días 24 y 31 de diciembre y 6 de enero abierto de 9 a 14 h). Cerrado todos los lunes del año y los días 1 de enero, 1 de mayo, 25 de diciembre y Viernes Santo. Entrada general 14 €, reducida 7 €. Exposición temporal: El trazo español en el British Museum. Dibujos del Renacimiento a Goya.
www.museodelprado.es

Museo Reina Sofía. Santa Isabel, 52. Metro Atocha, Lavapiés. Abierto de lunes a sábado de 10 a 21 h. Domingo de 10 a 19 h. Martes cerrado. Entrada general: 8 €. Exposiciones temporales: 4 €. Entrada reducida: 50%. Gran colección de arte del siglo XX y contemporáneo, que incluye obras de Pablo Picasso, Joan Miró, Antoni Tàpies o Miquel Barceló.
www.museoreinasofia.es

Thyssen-Bornemisza. Pº del Prado, 8. Metro Banco de España. Abierto de martes a domingo de 10 a 19 h. Lunes cerrado. Entrada: 9 €.

Exposición temporal: 10 €. Reducida: 6 €. Todo incluido: 15 €. Precios reducidos para mayores de 65 años y estudiantes con carné. Gratuito para menores de 12 años acompañados. Edificio de finales del siglo XVIII. Pintura desde los primitivos flamencos hasta el siglo XX. Exposición temporal: El Surrealismo y el sueño. Obras de Salvador Dalí, André Breton, René Magritte y Max Ernst, entre otros.
www.museothyssen.org

CaixaForum. Pº del Prado, 36. Metro Atocha. Horario: de lunes a domingo de 10 a 20 h. Entrada: 4 €. Entrada gratuita para clientes de la Caixa. Un nuevo espacio para todo tipo de público, con una amplia oferta cultural, social y educativa, donde el visitante puede disfrutar de exposiciones, talleres, conferencias, cursos y conciertos.
www.obrasocial.lacaixa.es

CINES

Cine Doré. Filmoteca Española. Santa Isabel, 2. Metro Antón Martín. ✆ 91 3692118 Entrada: 2,5 €. Entrada reducida con carné de estudiante: 2 €. Todas las películas en V.O. con subtítulos en castellano.

Ciclo Luis Buñuel
Viridiana. Pase: 17 h.
Belle de Jour. Pase: 22:15 h.
Ciclo Maestros de la fotografía: Néstor Almendros
Días del cielo (*Days of Heaven*). Pase: 19 h.

Ideal Yelmo Cineplex. Doctor Cortezo, 6. Metro Sol, Tirso de Molina. ✆ 91 3692518. Entrada 9 €. Lunes y miércoles no festivos día del espectador: 7 €. V.O. subtitulada.
Los miserables. Pases: 16:00, 18:10, 20:25 y 22:50 h.
Rompe Ralph (apta para menores). Pases: 18:10, 20:30 y 22:45 h.
Los amantes pasajeros. Pases: 16:00, 18:10, 20:25 y 22:50 h.

Cinesa Príncipe Pío. Pº de la Florida, 2. Metro Príncipe Pío. Entrada: 9 €. Sábados, domingos, festivos y sesión de madrugada: 9,20 €. Día del espectador: miércoles no festivos. Sábados y domingos sesiones matinales en todas las salas a las 12:15 h.
Brave (apta para menores). Pases: 16:15, 18:30, 20, 35 y 22:50 h.
Argo. Pases: 16:10, 18:40, 20:45 y 23 h.
G.I. Joe: La venganza. Pases: 16, 18:20, 20:40 y 23:00 h.

B. Imaginad que estáis en Madrid. En parejas, decidid cuál es el mejor lugar para cada una de las siguientes situaciones.

1. Queréis bailar hasta las 5 h de la mañana.
2. Queréis ir a un museo, pero solo tenéis 4 euros cada uno.
3. Queréis ir al cine a ver una película en versión original.

4. Queréis tomar un cóctel.
5. Es la 1 h de la madrugada de un sábado y os apetece cenar.
6. Queréis ir al cine con un niño de 8 años.

- Para bailar toda la noche podemos ir a Joy Eslava. Está abierto hasta las 5:30 h de la mañana.
- O también podemos ir a...

3. DE VUELTA A CASA ➕ P. 155, EJ. 17

A. En el aeropuerto, a la vuelta de las vacaciones, algunas personas cuentan qué han hecho. Relaciona las conversaciones con las fotos.

B. Ahora, vuelve a escuchar y completa el cuadro. Puede haber más de una opción.

	1	2	3	4
1. Han estado en varias regiones del mismo país.	✓			✓
2. Han estado sobre todo en una ciudad.		✓		
3. Han comido muy bien.	✓	✓		
4. Han ido a museos.	✓			
5. Han hecho excursiones.	✓	✓	✓	
6. Han salido de noche.	✓		✓	
7. Han ido de compras.			✓	
8. Han ido al teatro.	✓			
9. Han ido en barco.	✓		✓	
10. Han ido a la playa.		✓		

4. UN ANUNCIO ⊕ P. 151, EJ. 7; P. 152, EJ. 8-9

A. Mira este anuncio publicitario. ¿Qué crees que es SUR?

Este año no ha tenido vacaciones y ha trabajado muchos domingos. Este mes ha viajado seis veces por trabajo. Esta semana ha tenido tres cenas de negocios. Esta mañana ha escrito más de treinta mails. Esta tarde se ha tomado dos aspirinas. Hoy ha salido de la oficina a las nueve de la noche.

Ana Blanco, 38 años, empresaria.

Por suerte, esta noche va al SUR.

Muchas personas ya han descubierto la mejor manera de relajarse y olvidar el estrés de la ciudad. ¿Todavía no has probado nuestros tratamientos? ¿A qué estás esperando?
SUR, tu Spa Urbano de Relajación

B. Vuelve a leer el anuncio. ¿En qué tiempo verbal están las frases? ¿Qué marcadores temporales acompañan a este tiempo? Márcalos.

C. Y tú, ¿qué has hecho? Escríbelo y luego coméntalo con tus compañeros.

Este año ....

Este mes ....

Esta semana ....

Esta mañana ....

Hoy ....

.... dos veces ....

Nunca ....

> • Este año he ido muy pocas veces al cine.
> ○ Pues yo he ido bastante, sobre todo este mes.

5. YA LA HE VISTO

A. Escucha a dos amigos decidiendo qué película van a ver en el cine. ¿Por cuál se deciden al final?

24

B. Fíjate en estas frases del audio. ¿Entiendes qué significan las palabras en negrita? ¿Qué recursos usas en tu lengua para expresar lo mismo?

¿**Ya** has visto la nueva de Almodóvar?

Pues no, **todavía no** la he visto.

C. Comenta con tu compañero qué dirías en cada una de estas situaciones.

1. **A las dos un amigo te ha dicho: "Voy a comer". Ahora son las tres menos cuarto de la tarde. Tu amigo ha vuelto. ¿Qué le preguntas?**
   - ✔ ¿Ya has comido?
   - ¿Has comido?

2. **Un amigo tuyo está viviendo en Londres. Tú sabes que no le gusta mucho la pintura. ¿Qué le preguntas?**
   - ¿Ya has ido a la National Gallery?
   - ✔ ¿Has ido a la National Gallery?

   Right answer →

3. **No te gustan las películas de Amenábar. Te preguntan: "¿Ya has visto la última película de Amenábar?" Si tú no piensas ir, ¿qué respondes?**
   - ✔ No, no la he visto.
   - ✔ No, todavía no la he visto.

   Right answer →

4. **Esta noche tienes una cena en tu casa. Un amigo se ofrece para ayudarte con las compras, pero tú no necesitas ayuda. ¿Qué le dices?**
   - ✔ No, gracias. Ya lo he comprado todo.
   - No, gracias. Lo he comprado todo.

5. **Te encanta la pintura. En Madrid te preguntan: "¿Ya has visitado el Museo del Prado?" Si piensas ir, ¿qué respondes?**
   - No, no lo he visitado.
   - ✔ No, todavía no.

6. RECUERDOS DESDE CUBA + P. 153, EJ. 10

A. Una chica española de vacaciones en Cuba les envía una postal a sus padres. ¿Crees que está pasando unas vacaciones aburridas o divertidas?

La postal manuscrita dice:

> *Introducción*
> ¡Hola familia! Saludos
> Después de unos días en Varadero ya hemos llegado a La Habana. Estamos morenísimas. Hemos tomado mucho el sol y hemos hecho submarinismo... ¡con tiburones! Al final vamos a quedarnos aquí hasta el día 10 porque esto es increíble. Hemos conocido a unas chicas que nos están enseñando la ciudad. Mañana nos van a enseñar la Habana Vieja y este fin de semana vamos a ir a la Isla de la Juventud. Suena bien, ¿no? Manu, finalmente he decidido que el año que viene voy a seguir en la universidad. ¿Estás contenta?
> Un besote a todos. Bibi
> *Despedida*

Anotaciones al margen: *Experiencias*, *experiencia*, *Planes*, *plane*, *Plane*

B. Vuelve a leer la postal y completa el cuadro.

PLANES	¿CUÁNDO? / ¿HASTA CUÁNDO?
Vamos a quedarnos aquí	hasta el día 10
Nos van a enseñar la Habana Vieja	Mañana
Vamos a ir a la isla de la Juventud	Este fin de semana
Voy a seguir en la universidad	El año que viene

C. En el cuadro anterior encontramos una estructura verbal nueva. ¿Con qué verbo se construye? Completa el cuadro.

	IR	A + INFINITIVO
(yo)	VOY	
(tú)	VAS	
(él/ella/usted)	VA	a enseñar
(nosotros/nosotras)	VAMOS	comer
(vosotros/vosotras)	VAIS	ir
(ellos/ellas/ustedes)	VAN	

D. Todos estos marcadores temporales pueden referirse al futuro. ¿Puedes ordenarlos cronológicamente?

- **3** mañana
- **4** pasado mañana
- **10** dentro de dos años
- **6** el mes que viene
- **8** el año que viene
- **5** el lunes que viene
- **7** el 31 de diciembre
- **9** en Semana Santa
- **2** esta noche
- **1** esta tarde

7. ERASMUS + P. 153, EJ. 11

A. Escucha esta conversación con un estudiante Erasmus en Valencia y anota en tu cuaderno qué planes tiene.

25

Andrea Visentin, estudiante Erasmus en el Grado de Ciencias Políticas y de Administración Pública de la Universidad de Valencia.

B. Y tú, ¿tienes algún plan para el futuro? Piensa en tu trabajo, en tus estudios, en tus vacaciones... Escríbelo y, luego, cuéntaselo a un compañero.

PARA COMUNICAR

El año que viene : **voy a** : ir a Argentina.
pienso
quiero

> • *El año que viene voy a apuntarme a un curso de...*

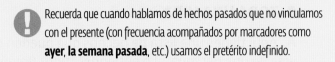

HABLAR DE HORARIOS

- ¿**A qué hora abre / cierra** el banco?
  ¿**A qué hora empiezan / acaban** las clases?
  ¿**A qué hora llega / sale** el tren de Sevilla?
- **A las** nueve / diez / once y media...

Abre / Está abierto de diez **a** una.
Cierra / Está cerrado de una **a** cinco.

HABLAR DE EXPERIENCIAS EN EL PASADO: PRETÉRITO PERFECTO ➕ P. 151, EJ. 5-6

	PRESENTE DE **HABER**	+ PARTICIPIO
(yo)	**he**	
(tú)	**has**	
(él/ella/usted)	**ha**	visit**ado**
(nosotros/nosotras)	**hemos**	com**ido**
(vosotros/vosotras)	**habéis**	viv**ido**
(ellos/ellas/ustedes)	**han**	

Los participios irregulares más frecuentes son:

abrir → **abierto**	morir → **muerto**	decir → **dicho**
poner → **puesto**	romper → **roto**	escribir → **escrito**
ver → **visto**	hacer → **hecho**	volver → **vuelto**
descubrir → **descubierto**		

Usamos el pretérito perfecto para hablar de experiencias que relacionamos con el momento en el que hablamos: **hoy, esta mañana, este mes, este fin de semana, este año, esta semana, estos días**...
- ¿Qué **has hecho** hoy?
- Pues esta mañana **he ido** al médico. Es que no me encuentro muy bien.

También lo usamos para hablar de experiencias, pero sin mencionar cuándo se han realizado. En este caso, usamos expresiones como **alguna vez, varias veces, nunca**...
- ¿**Has estado** alguna vez en Roma?
- ¿En Roma? Sí, (**he estado**) dos veces.

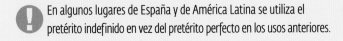 En algunos lugares de España y de América Latina se utiliza el pretérito indefinido en vez del pretérito perfecto en los usos anteriores.

Recuerda que cuando hablamos de hechos pasados que no vinculamos con el presente (con frecuencia acompañados por marcadores como **ayer**, **la semana pasada**, etc.) usamos el pretérito indefinido.

- ¿Qué tal en Barcelona?
- Genial. Hemos visto muchas cosas. El primer día **fuimos** al Museo Picasso...

YA / TODAVÍA NO + PRETÉRITO PERFECTO

Usamos **ya** cuando preguntamos por una acción cuya realización esperamos o creemos posible, o cuando confirmamos su realización.

- ¿**Ya** habéis estado en Madrid?
- Sí, fuimos la semana pasada.

Con **todavía no** expresamos que una acción no se ha producido en el pasado, pero que esperamos que se produzca en el futuro.

- ¿Ya habéis visto La Giralda?
- Sí, yo sí.
- Yo **todavía no**. (= está en sus planes)

- ¿Ya habéis probado la paella?
- No, **todavía no**. (= lo van a hacer)

HABLAR DE INTENCIONES Y PROYECTOS

	IR	A + INFINITIVO
(yo)	**voy**	
(tú)	**vas**	
(él/ella/usted)	**va**	**cenar**
(nosotros/nosotras)	**vamos**	**a** **ir** a Málaga
(vosotros/vosotras)	**vais**	**tomar** una copa
(ellos/ellas/ustedes)	**van**	

- ¿Qué **vais a hacer** el sábado por la noche?
- Seguramente **vamos a ir** a casa de Pedro.

Para referirnos al futuro, podemos usar los siguientes marcadores temporales.

esta tarde / noche...
este jueves / viernes / sábado / fin de semana...
mañana
pasado mañana
dentro de un año / dos meses / tres semanas...
el lunes / mes / año... que viene

También podemos usar el presente de indicativo para hablar de intenciones y de proyectos que queremos presentar como firmes o decididos.
Mañana **cenamos** en casa de Alicia.

8. TODA UNA VIDA

A. Aquí tienes una lista de hechos que pueden darse en la vida de una persona. ¿Lo entiendes todo? Pregúntale a un compañero lo que no entiendas.

- jubilarse
- estudiar en un país extranjero
- enamorarse
- divorciarse
- montar un negocio *run a business*
- tener hijos
- casarse *many*
- aprender a ir en bicicleta

- acabar los estudios *to finish*
- hacerse famoso/-a *became*
- comprar una casa
- dar la vuelta al mundo
- aprender a tocar un instrumento
- ir a la universidad
- escribir un libro
- plantar un árbol *plant a tree*

B. Anota en tu cuaderno qué cosas has hecho, qué cosas estás haciendo en la actualidad, qué cosas vas a hacer pronto y cuáles crees que no vas a hacer nunca.

C. Ahora, coméntalo con tu compañero. Luego, cuenta a la clase lo que más te ha sorprendido.

> - Rubi se ha casado tres veces.

9. UN PARQUE TRANQUILO P. 155, EJ. 19

 A. Piensa en lugares de la ciudad o la región donde vives en España y completa el cuadro de la derecha. Luego coméntalo con tus compañeros.

> - Yo conozco una discoteca con música muy buena. Se llama "Sounds". ¿Habéis estado?
> - No. ¿Dónde está?
> - Cerca del puerto.

B. ¿Has descubierto algo nuevo? Decide qué lugares te interesan, a cuáles quieres ir y cuándo. Cuéntaselo a la clase.

> - Creo que voy a ir a "Sounds" este fin de semana. Anna ha estado y dice que la música es muy buena.

	NOMBRE	¿DÓNDE ESTÁ?
1. Un local con buena música	Sounds	Cerca del puerto
2. Un parque tranquilo		
3. Un lugar donde se puede hacer deporte		
4. Una tienda con ropa bonita y barata		
5. Una biblioteca		
6. Un restaurante de comida latinoamericana		
7. Un pueblo con encanto		
8. Una tienda de productos biológicos		

10. EL AÑO MÁS... ⊕ P. 155, EJ. 18

A. Vas a averiguar cómo ha sido la vida de un compañero durante uno de estos tres periodos: esta semana, este mes o este año. Prepara preguntas para saber si ha tenido una semana, un mes o un año interesante, divertido, aburrido...

> • ¿Has ido mucho al cine este mes?
> ○ Sí, un par de veces. Fui la semana pasada y ayer por la noche.

B. Ahora, comentad con el resto de la clase cómo ha sido la vida de vuestro compañero en el periodo elegido.

> • Olga ha tenido un mes bastante interesante: ha ido dos veces al cine, ha...

11. GUÍAS TURÍSTICOS ⊕ P. 155, EJ. 16

A. En grupos de tres, imaginad que sois guías turísticos y que debéis preparar actividades para un fin de semana en la ciudad en la que estáis. Primero, elegid uno de estos grupos.

- 35 estudiantes de 18 años
- Una pareja de luna de miel
- Un grupo de niños de 10 a 14 años
- Un grupo de jubilados
- Una familia con chófer

 B. Ahora, programad actividades para vuestro grupo de turistas, para todo el fin de semana. Podéis buscar en internet o en guías del ocio.

PEL **C.** Vais a presentar vuestra propuesta al resto de la clase. Tenéis que justificarla teniendo en cuenta los posibles gustos de vuestro grupo, los precios, los horarios, etc. ¿Quién tiene el mejor plan?

> • Nosotros hemos preparado un fin de semana para un grupo de estudiantes. El sábado por la mañana, vamos a ir a La Alhambra...

Sábado por la mañana: visita a La Alhambra.

Sábado por la tarde: paseo por el centro de Granada y el barrio del Albaicín.

Domingo: día de esquí en Sierra Nevada (estación de Borreguiles).

12. ESPACIOS NATURALES

A. ¿Qué tipo de vacaciones prefieres? ¿Te gusta la naturaleza? Aquí tienes información sobre tres espacios naturales de España. En grupos, decidid cuál os gustaría visitar y por qué.

ESCÁPATE A LA NATURALEZA

SI ESTÁS PENSANDO EN PERDERTE UNOS DÍAS Y TE GUSTA ESTAR EN CONTACTO CON LA NATURALEZA, AQUÍ TIENES TRES PROPUESTAS EN ESPACIOS NATURALES ESPECTACULARES DEL MUNDO HISPANO.

PARQUE NACIONAL DE LOS PICOS DE EUROPA (ESPAÑA)

Es el mayor Parque Nacional de Europa y abarca tres comunidades: Asturias, Cantabria y Castilla y León. En él se puede practicar alpinismo, senderismo, deportes de invierno, de aventura... La región cuenta con buenos accesos y muchos hoteles y refugios. Una curiosidad: estas montañas son el hábitat natural del oso pardo.

PARQUE NACIONAL DE GARAJONAY

Declarado Patrimonio Natural de la Humanidad por la UNESCO y situado en la isla de La Gomera (Canarias), este espacio está casi siempre cubierto por nieblas y nubes que proporcionan un ambiente húmedo y temperaturas estables. En el parque conviven especies de plantas protegidas y exclusivas del lugar. Hay visitas y excursiones organizadas con guías profesionales.

B. ¿Existen espacios naturales parecidos en tu país? ¿Cuál es el más famoso? ¿Has ido a alguno?

PARQUE NATURAL DE CABO DE GATA-NÍJAR

La Sierra de Cabo de Gata es el macizo de origen volcánico más importante de la Península Ibérica. La costa se compone de impresionantes acantilados, grandes playas desiertas y pequeñas calas. El parque se puede visitar a pie, en bicicleta o a caballo y es ideal para practicar la vela y el windsurf. La mejor época para visitarlo es en primavera.

▶ **VÍDEO** aula.difusion.com

Nuestro viaje a Cuba: Octubre de 2013

⊞ EN CONSTRUCCIÓN

¿Qué te llevas de esta unidad?

Lo más importante para mí:

....

....

Palabras y expresiones:

....

....

Algo interesante sobre la cultura hispana:

....

....

Quiero saber más sobre...

....

....

NO COMO CARNE

→ **EMPEZAR**

1. ¿TÚ QUÉ CENAS?

A. Unas personas nos dicen lo que suelen cenar. Relaciona los testimonios con las fotografías.

- (5) Ceno algo rápido mientras veo la televisión: normalmente, pasta.

- (4) Casi nunca ceno. A veces, si tengo hambre, tomo un yogur.

- (2) Suelo cenar algo de verdura y, si tengo más hambre, un trozo de queso.

- (3) Cenamos dos platos. De primero, algo ligero y, después, algo más: carne con patatas fritas...

- (1) Cenamos algo ligero: normalmente, una ensalada.

B. Identifica en las fotos los alimentos que se mencionan en el apartado A.

C. Comenta con un compañero lo que cenas normalmente. ¿Coincidís?

PREPARAR UNA CENA PARA UNA FIESTA CON TODA LA CLASE

RECURSOS COMUNICATIVOS

- hablar de gustos y hábitos alimentarios
- explicar cómo se prepara un plato

RECURSOS GRAMATICALES

- los pronombres personales de OD
- las formas impersonales con **se**
- algunos usos de **ser** y de **estar**
- **y**, **pero**, **además**

RECURSOS LÉXICOS

- alimentos
- recetas
- pesos y medidas

2. COMO DE TODO ⊕ P. 156, EJ. 1-2

A. Aquí tienes las ofertas de la semana de una cadena de supermercados. ¿Conoces todos los productos? ¿Existen en tu país?

B. ¿Consumes estos productos? Completa el cuadro.

a menudo	de vez en cuando	nunca o casi nunca
	huevos	

C. Ahora, coméntalo con un compañero. ¿Hay otras cosas que no comes o no bebes nunca?

- Yo como de todo, pero la fruta no me gusta mucho.
- Yo no como pescado, soy alérgico.

3. VEGANOS

A. ¿Qué sabes de los veganos (los vegetarianos más estrictos)? Lee estas afirmaciones y, en parejas, comentad si os parecen verdaderas (V) o falsas (F).

		V	F
1.	Los veganos no toman azúcar, pero sí miel.		✓
2.	No usan ropa de lana.	✓	✓
3.	No beben leche de vaca.	✓	
4.	Creen que ayudan a acabar con el hambre en el mundo.	✓	
5.	Creen que comer carne es malo para el medio ambiente.	✓	
6.	No consumen ningún tipo de proteínas.	✓	✓
7.	Consumen frutos secos: nueces, almendras, etc.	✓	

B. Ahora leed este artículo y comprobad vuestras respuestas.

Existen varios tipos de vegetarianos. Los más estrictos son los llamados "veganos". Los vegetarianos veganos no comen carne, pescado, lácteos, huevos, miel, ni ningún otro producto de origen animal. Tampoco compran productos fabricados con lana o con piel. Dicen que, además de ser el estilo de vida más sano que existe, el vegetarianismo ayuda a acabar con el hambre en el mundo, a proteger el medio ambiente y a mejorar la calidad de vida de todo el planeta. ¿Por qué?

LOS ANIMALES
Los veganos opinan que los animales utilizados para producir carne, leche y huevos son maltratados y viven, en general, en muy malas condiciones.

EL HAMBRE
En la Tierra se crían 1300 millones de animales, que ocupan casi el 24% del planeta. Estos animales consumen enormes cantidades de cereales y de agua, necesarias para alimentar a millones de humanos.

LA SALUD
Para los veganos, una dieta a base de fruta, verdura, cereales y legumbres es ideal para mantener el cuerpo limpio y sano.

¿QUÉ COME UN VEGANO?
Además de frutas frescas y verduras, come cereales, pasta, pan, patatas, legumbres, arroz, frutos secos, leche de soja, tofu y otros productos hechos a base de proteína vegetal. Estos alimentos aportan, según los veganos, todos los elementos que necesita el cuerpo humano.

C. ¿Conoces a algún vegano o vegetariano?

4. COCINA FÁCIL ⊕ P. 156, EJ. 3; P. 160, EJ. 16-17

A. Unos amigos te invitan a una fiesta en su casa y quieres llevar algo de comer. Aquí tienes dos platos muy sencillos. ¿Cuál es el más fácil? ¿Cuál vas a preparar?

Guacamole con nachos

Ingredientes para 6 personas: dos aguacates, un tomate, dos cucharadas de cebolla picada, una cucharadita de ajo picado, uno o dos chiles picados, un poco de zumo de limón, sal y una bolsa de nachos. Preparación: **se pelan** los aguacates, se colocan en un recipiente y, con un tenedor, se aplastan hasta obtener un puré. **Se pela** el tomate, se quitan las semillas, **se corta** en trocitos pequeños y se añade al puré. Luego, se añaden la cebolla picada, el ajo, los chiles, el zumo de limón y la sal. Se acompaña con nachos.

Huevos estrellados

Ingredientes para 6 personas: ocho patatas medianas, ocho huevos, tres lonchas de jamón serrano, aceite de oliva y sal. Preparación: se pelan las patatas, **se lavan** y **se cortan** en trozos pequeños. En una sartén **se calienta** el aceite y **se fríen** las patatas. Se sacan y se reservan. Mientras, se pone el jamón en el horno y, cuando está crujiente, se corta en trozos y se mezcla con las patatas. Luego, se fríen los huevos e inmediatamente **se echan** sobre las patatas fritas y se revuelven: es decir, se "estrellan" los huevos con las patatas.

B. En las recetas hay algunos verbos en negrita. ¿Cuál es el infinitivo? Escríbelo debajo de la ilustración correspondiente.

1. echar

C. Fíjate en la palabra **se** y en la forma verbal que va a continuación. A veces es la tercera persona del singular y, a veces, la tercera del plural. ¿Entiendes cuándo se usa una y cuándo la otra?

5. LA DIETA DE LA ALCACHOFA ⊕ P. 156, EJ. 4

A. Lee esta entrada en un blog. ¿Qué te parece esta dieta?
Coméntalo con tus compañeros.

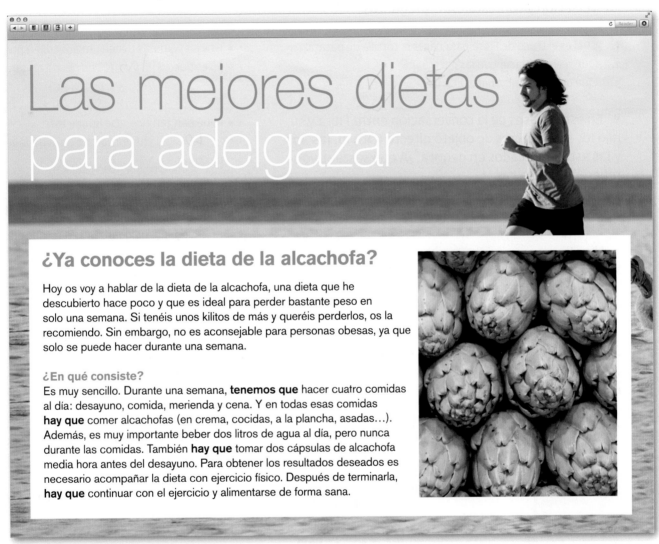

Las mejores dietas para adelgazar

¿Ya conoces la dieta de la alcachofa?

Hoy os voy a hablar de la dieta de la alcachofa, una dieta que he
descubierto hace poco y que es ideal para perder bastante peso en
solo una semana. Si tenéis unos kilitos de más y queréis perderlos, os la
recomiendo. Sin embargo, no es aconsejable para personas obesas, ya que
solo se puede hacer durante una semana.

¿En qué consiste?
Es muy sencillo. Durante una semana, **tenemos que** hacer cuatro comidas
al día: desayuno, comida, merienda y cena. Y en todas esas comidas
hay que comer alcachofas (en crema, cocidas, a la plancha, asadas…).
Además, es muy importante beber dos litros de agua al día, pero nunca
durante las comidas. También **hay que** tomar dos cápsulas de alcachofa
media hora antes del desayuno. Para obtener los resultados deseados es
necesario acompañar la dieta con ejercicio físico. Después de terminarla,
hay que continuar con el ejercicio y alimentarse de forma sana.

B. Fíjate en las palabras en negrita. ¿Para qué se usan?
¿Qué recurso utilizas en tu lengua?

C. ¿Sigues o conoces alguna dieta? Explica a tus
compañeros en qué consiste.

> • Yo hice una vez la dieta Dukan. No
>   hay que tomar hidratos de carbono.
> ○ ¿Nunca?
> • Al principio, no.

PARA COMUNICAR

Hay que...	
No hay que...	comer / beber / tomar...
Tienes que...	
No tienes que...	

EXPLORAR Y REFLEXIONAR

6. ¡MAMÁ! ⊕ P. 157, EJ. 5-7

A. Flora es una gran cocinera y su hijo Juanito, que acaba de independizarse, le pide consejos. Escucha la conversación y contesta estas preguntas.

1. ¿Cuál es el truco de Flora para hacer la tortilla de patata?
2. ¿Qué hay que hacer con las patatas?
3. ¿Qué decide Juanito hacer al final?

B. En estas frases de la conversación entre Flora y su hijo los pronombres de objeto directo (OD) **lo**, **las**, **los** y **las** están marcados en negrita. ¿A qué sustantivo se refieren en cada caso?

1. Pones mucho aceite en una sartén y **lo** calientas.
2. Entonces añado las patatas. **Las** fríes muy bien, hasta que estén blanditas.
3. También puedes poner un poco de cebolla, **la** añades un rato antes que las patatas.
4. Luego añades los huevos. **Los** bates bien y **los** echas en la sartén.

C. Completa estas frases con un pronombre de OD.

1.
• Hoy las verduras tienen un sabor diferente, ¿no?
○ Sí, es que ...las... he hecho al vapor.

2.
• ¡Qué pan tan rico! ¿De dónde es?
○ ...Lo... he comprado en la panadería de abajo.

3.
• ¿Dónde están los plátanos?
○ ...Los... he guardado en el frigorífico.

4.
• ¿Has preparado la ensalada?
○ Sí, ...la... he dejado en la mesa.

7. ADEMÁS... ⊕ P. 158, EJ. 10

A. Lee estas dos frases. Las palabras destacadas son conectores. ¿Entiendes qué significan?

Este supermercado es muy bueno, y, además, no es muy caro.

Este supermercado es muy bueno, pero es muy caro.

B. Ahora, escribe la opción más lógica en cada una de estas frases: **además** o **pero**.

1. La sopa está muy buena, ...pero... le falta un poco de sal, ¿no crees?
2. Al lado de mi casa han abierto un supermercado muy barato, ...además... está abierto hasta las doce de la noche.
3. Me encanta el café, ...pero... el médico me lo ha prohibido.
4. Prueba estas galletas. Están muy buenas y, ...además... son muy ligeras.
5. Normalmente tomo postre, ...pero... hoy no me apetece.

FORMAS IMPERSONALES

Cuando no podemos o no nos interesa especificar quién realiza una acción, utilizamos formas impersonales. Usamos estas formas para dar instrucciones o para hacer generalizaciones.

SE + 3ª PERSONA

*Primero, **se** lava**n** y **se** pela**n** las frutas, y luego...*
*En este restaurante **se** com**e** muy bien.*

lavar	→ se lava/n	calentar	→ se calienta/n
congelar	→ se congela/n	asar	→ se asa/n
pelar	→ se pela/n	cocer	→ se cuece/n
echar	→ se echa/n	hacer	→ se hace/n
cortar	→ se corta/n	freír	→ se fríe/n

2ª PERSONA DEL SINGULAR

*Mira, pon**es** aceite en una sartén, luego ech**as** un diente de ajo...*

HAY QUE + INFINITIVO

***Hay que** calentar mucho el aceite.*

¿Cómo se hace el gazpacho?

Es muy fácil: hay que comprar tomates bien maduros...

CONECTORES: Y / PERO / ADEMÁS

Los conectores sirven para enlazar frases y para expresar las relaciones lógicas entre dos elementos.

Y añade un segundo elemento sin dar ningún matiz.
*Es un restaurante muy bonito **y** muy moderno.*

Pero añade un segundo elemento que presentamos como contrapuesto al primero.
*Es un restaurante muy bonito, **pero** la comida es horrible.*

Además añade un segundo elemento que refuerza la primera información.
*Es un restaurante muy bonito y, **además**, los camareros son muy simpáticos.*

PRONOMBRES PERSONALES DE OBJETO DIRECTO (OD)

➕ P. 158, EJ. 8-9

Los pronombres personales de objeto directo (**lo**, **la**, **los**, **las**) aparecen cuando, por el contexto, ya está claro cuál es el OD de un verbo y no lo queremos repetir.

	SINGULAR	PLURAL
masculino	**lo**	**los**
femenino	**la**	**las**

- ● *¿Dónde está la miel?*
- ○ ***La** he guardado en el armario.*

- ● *¿Están buenas las manzanas?*
- ○ *No sé, todavía no **las** he probado.*

- ● *¿Dónde está el queso?*
- ○ ***Lo** he puesto en el frigorífico.*

- ● *¿Has traído los libros de cocina?*
- ○ *No, **los** he dejado en casa de mi madre.*

Lo es también un pronombre de OD neutro y puede sustituir a una parte del texto o a **esto**, **eso**, **aquello**, **algo**...

- ● *¿Sabes que van a abrir un centro comercial nuevo?*
- ○ *Sí, **lo** he leído en el periódico.*

- ● *¿Qué es esto?*
- ○ *Creo que es un regalo para ti. **Lo** ha traído Luis.*

También usamos los pronombres cuando el OD está delante del verbo.
*El pescado **lo** he preparado yo, pero la tarta **la** he comprado.*

 No usamos los pronombres cuando el OD no lleva determinantes (artículos, posesivos, demostrativos).

- ● *¿Esta tortilla lleva Ø cebolla?*
- ○ *No, no Ø lleva.*

SER / ESTAR

Para hacer una descripción o una valoración de algo, usamos el verbo **ser**.
*Los quesos extremeños **son** excelentes.*

Pero para comentar una experiencia directa, usamos **estar**.
*¡Qué bueno **está** este queso! (= lo estoy comiendo ahora)*

LÉXICO: PESOS Y MEDIDAS ➕ P. 161, EJ. 21

1 kg (**un kilo**) de arroz	200 g (**gramos**) de harina
1/2 kg (**medio kilo**) de azúcar	1 l (**un litro**) de aceite
1/4 kg (**un cuarto de kilo**) de café	1/2 l (**medio litro**) de agua

8. ¿A PESO O POR UNIDADES? ⊕ P. 161, EJ. 18

A. Lee este artículo. ¿Te parece interesante la iniciativa? ¿Existen tiendas similares en tu país? Coméntalo con un compañero.

VUELTA AL GRANEL

Durante mucho tiempo hemos comprado todo tipo de productos envasados, pero últimamente está volviendo una nueva manera de comprar la comida. En Barcelona han abierto Granel, una tienda en la que se pueden comprar los productos a peso: arroz, legumbres, harina, pasta, galletas, cereales para el desayuno, frutos secos, vino, aceitunas, hierbas aromáticas, especias... La cantidad mínima que puedes comprar es cinco gramos. Los dueños dicen que comprar a granel es más barato y mucho más sostenible, ya que no se usan tantos envases de plástico.

Tienda Granel en el barrio de Gracia de Barcelona.

B. Marca los alimentos que se mencionan en el texto. ¿Cómo se compran esos alimentos en tu país?

- a peso
- por unidades
- en cartones
- en bolsas
- en botellas
- en latas
- en botes
- en paquetes
- en cajas
- otros

9. LA DIETA DE SILVIA

A. ¿Qué crees que hace una modelo profesional para mantenerse en forma? ¿Qué cosas de la lista crees que come? ¿Cuáles no? Coméntalo con un compañero.

- verdura
- sushi
- marisco
- piña
- pescado a la plancha
- tartas
- chocolate
- hamburguesas
- pan integral
- pasta

B. Escucha a una modelo española y comprueba tus hipótesis. Escribe en la tabla qué come y qué no come.

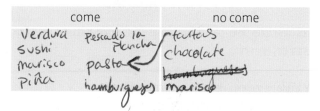

come		no come
Verdura	Pescado la plancha	tartas
Sushi	pasta	chocolate
marisco	hamburguesa	~~hamburguesas~~
piña	hamburguesa	marisco

C. ¿Y tú? Cuando quieres cuidarte, ¿qué haces? ¿Qué no comes?

- Yo, cuando quiero cuidarme, no como chocolate.
- Pues yo no tomo nunca productos lácteos.

10. UNA COMIDA FAMILIAR ⊕ P. 159, EJ. 13

A. ¿Cómo es una comida familiar para celebrar algo en tu casa? Explícaselo a tus compañeros.

[anotación manuscrita:]
→ Come mucho
- bebe, canta, baila
-

PARA COMUNICAR

(No) **se toma** un aperitivo / café después de la comida...

Se come mucho / bastante / poco.

(No) **se enciende** la televisión durante la comida.

Se bebe cerveza / agua / champán / vino...

(Nunca) **se pone** música / **se canta** / **se baila**...

Después de la comida, **nos quedamos sentados mucho tiempo** / **damos un paseo**...

- En mi casa, en las comidas familiares normalmente se come mucho, se toma un buen vino...

B. Antonio cuenta cómo es una comida familiar en su casa. Escucha y toma nota de lo que dice. ¿Se parece a las comidas en tu casa?

28

C. ¿Qué consejos le darías a un extranjero que va a tu país? ¿Qué hay que hacer y qué no hay que hacer en una comida?

- En Francia, hay que servir vino a los demás antes de servirse a uno mismo.
- Pues en Japón no hay que dejar nunca los palillos clavados en la comida, se considera de muy mala educación.

[anotación manuscrita:]
- Donde: El Patio
- Quien cocina: ~~🐷~~ madre de Antonio
- Que toman despues: Beben Café
- Empiezan a ~~la~~ ~~comer~~ una de la tarde y terminan son las ocho.

11. LA CENA DE LA CLASE

PEL **A.** Vais a preparar una cena para la clase. En parejas, tenéis que preparar tres platos. Decidid primero los platos y pensad qué ingredientes llevan y cómo se preparan. Escribidlo.

B. Presentad vuestros platos a los demás. Ellos os van a hacer preguntas. Al final, entre todos vais a elegir los platos que gustan a la mayoría.

- Nosotros queremos preparar tiramisú, un postre típico italiano. Se hace con café, queso mascarpone y unos bizcochos que en italiano se llaman savoiardi...
- ¿Lleva chocolate?
- Sí.

C. Ahora, tenéis que hacer la lista de la compra. Tened en cuenta cuántos sois.

- Tenemos que comprar mascarpone para el tiramisú. 500 gramos es suficiente, ¿no?
- No sé, somos siete...

Tiramisú

500 g de queso mascarpone

400 g de bizcocho

4 huevos

120 g de azúcar

6 tazas de café

Cacao en polvo

12. DENOMINACIÓN DE ORIGEN

A. ¿Sabes qué es una denominación de origen? Coméntalo con tus compañeros y luego lee este texto.

D. O. ESPAÑA

Uno de los aspectos más interesantes de cualquier cultura es la gastronomía. Qué come la gente, qué bebe, qué productos son típicos, cuáles se consumen en épocas especiales como la Navidad o las fiestas familiares, cuáles son las especialidades de los restaurantes tradicionales o de los más modernos.

Seguramente, la mejor manera de saber cuáles son los productos más típicos y de mejor calidad en España es conocer las denominaciones de origen. Las denominaciones de origen son la garantía de que un producto típico, como un vino o un queso, están hechos de manera tradicional, en una región determinada y siguiendo estrictos controles de calidad.

Actualmente en España hay muchas denominaciones de origen: de vinos, de aceites, de quesos, de frutas, de verduras, de turrones, de arroces, de carnes, etc. Los productos con denominación de origen son, en general, algo más caros, pero casi siempre vale la pena pagar un poco más y tener la seguridad de llevarse a casa un producto de calidad.

1 mejillones de Galicia

2 queso Cabrales

3 espárragos de Navarra

7 vino de La Rioja

11 sobaos pasiegos

13 plátanos de Canarias

14 queso Manchego

15 naranjas de Valencia

ISLAS CANARIAS

GALICIA · ASTURIAS · CANTABRIA · PAÍS VASCO · NAVARRA · LA RIOJA · ARAGÓN · CASTILLA Y LEÓN · MADRID · CASTILLA-LA MANCHA · COMUNIDAD VALENCIANA · EXTREMADURA · MURCIA · ANDALUCÍA

B. ¿Has probado alguno de estos productos? ¿Cuáles te quieres llevar a tu país?

C. Busca información en internet sobre un producto de tu país con denominación de origen y preséntalo en clase.

VÍDEO   aula.difusion.com

4 jamón de Extremadura

5 melocotones de Calanda

6 mantequilla de Soria

8 avellanas de Reus

CATALUÑA

8

9 aceite de Madrid

10 vino de Jerez

12 ISLAS BALEARES

12 sobrasada de Mallorca

16 queso Idiazábal

17 arroz de Calasparra

⊞ **EN CONSTRUCCIÓN**

¿Qué te llevas de esta unidad?

Lo más importante para mí:

....

....

Palabras y expresiones:

....

....

Algo interesante sobre la cultura hispana:

....

....

Quiero saber más sobre...

....

....

8 NOS GUSTÓ MUCHO

DESTINO:

BAHÍA BALLENA

Nuestra primera excursión fue a Bahía Ballena, en la costa del Pacífico, donde vimos ballenas. La playa tiene forma de cola de ballena. ¡Qué lugar tan increíble!

→ EMPEZAR

1. ¡QUÉ LUGAR TAN INCREÍBLE!

A. Lee este reportaje ilustrado sobre Costa Rica y completa las frases.

- El autor probó platos típicos como *gallopinto*

- Hizo una excursión en .... por la costa caribeña.

- Vio unos animales muy espectaculares: las .... *Ballenas* ....

- Practicó deportes de aventura en la .... *Selva* ....

B. ¿A cuál de estos lugares te gustaría ir?

> • A mí me gustaría ir a la costa del Pacífico para ver las ballenas.
> ○ Pues a mí me encantaría ir a la selva.

EN ESTA UNIDAD VAMOS A
ESCRIBIR UN ARTÍCULO SOBRE LAS COSAS MÁS INTERESANTES DEL LUGAR EN EL QUE ESTAMOS

RECURSOS COMUNICATIVOS

- hablar de experiencias y valorarlas
- valorar personas y cosas
- expresar el deseo de hacer algo

RECURSOS GRAMATICALES

- usos del pretérito perfecto y del pretérito indefinido
- **me / te / le / nos / os / les gustaría** + infinitivo
- frases exclamativas

RECURSOS LÉXICOS

- **parecer**
- **caer bien / mal**
- **pasárselo bien / mal**
- lugares de interés y ofertas culturales

COSTA RICA (SJC)

UNA SODA TÍPICA

Una mañana, caminando por San José, nos encontramos una soda (una cafetería) típica y decidimos desayunar allí. Comimos gallopinto, un plato tradicional de Costa Rica. ¡Qué cosa tan rica!

SODA PURA VIDA

DESAYUNOS Y ALMUERZOS
CASADOS, CHIFRIJOS, GALLOPINTO, CEVICHE, TACOS, FAJITAS, ARROZ CON POLLO

PLAYAS CARIBEÑAS

También nos encantó la costa del Caribe. Un día hicimos una excursión en bici desde Puerto Viejo hasta Manzanillo. ¡Pasamos por playas maravillosas!

MONTEVERDE

Estuvimos en Monteverde, que es una reserva biológica, e hicimos deportes de aventura. Eso fue lo más divertido. La selva es una maravilla.

2. SAN SEBASTIÁN

A. Imagina que vas a ir de viaje a San Sebastián. Lee el siguiente artículo y decide a cuáles de los cuatro lugares de los que se habla te gustaría ir. Coméntalo con un compañero.

CUATRO SITIOS QUE NO TE PUEDES PERDER DE...

SAN SEBASTIÁN
LA PERLA DEL CANTÁBRICO

UN MUSEO
AQUARIUM / PALACIO DEL MAR

Este museo es la atracción más visitada de la ciudad y está en el puerto pesquero de San Sebastián. Fue el primer museo dedicado a las ciencias naturales que se fundó en España (en el año 1928). Recientemente, las instalaciones se han ampliado y son espectaculares: destaca un gran acuario con 1 800 000 litros de agua atravesado por un túnel.

UN EDIFICIO
KURSAAL

Este moderno centro de congresos y convenciones es también auditorio, teatro y sede del Festival Internacional de Cine de San Sebastián. Obra del arquitecto navarro Rafael Moneo, ganó en el año 2001 el premio Mies van der Rohe, uno de los premios más importantes de arquitectura, y es uno de los símbolos de la ciudad.

UN LUGAR
BAHÍA DE LA CONCHA

Desde que, en 1845, la Reina Isabel II empezó a tomar baños de mar en San Sebastián para curar sus problemas de salud, las playas de La Concha y Ondarreta son el centro turístico de la ciudad. En el largo paseo que bordea la bahía, destacan los jardines de Alderdi-Eder, el palacio de Miramar y *El peine de los vientos*, del escultor Eduardo Chillida.

UN RESTAURANTE
ARZAK

Juan Mari Arzak es el propietario y chef de este restaurante, considerado uno de los diez mejores del mundo. Su hija Elena, que dirige el restaurante con él, ganó en 2012 el premio a la mejor chef femenina del mundo. Arzak fue uno de los primeros restaurantes en España que consiguió tres estrellas en *La guía Michelín* y hoy continúa ofreciendo las creaciones más vanguardistas de la cocina vasca.

- A mí me gustaría ir a la playa de La Concha porque me gusta mucho la playa.
- Pues a mí me gustaría ir al restaurante Arzak porque me encantaría probar la cocina vasca.

B. ¿Cuál es el último lugar interesante (un museo, un edificio, un restaurante, etc.) en el que has estado?

- Yo hace dos semanas estuve en...

3. CONOCER MÉXICO ⊕ P. 162, EJ. 3

A. Una revista recomienda algunas obras para conocer mejor la cultura contemporánea mexicana. ¿Cuál de estas obras te interesa más? ¿Por qué? Coméntalo con un compañero.

LIBROS
MAL DE AMORES

En esta novela, la escritora Ángeles Mastretta nos relata la historia de una mujer que, a principios del siglo XX, en el México de la Revolución, intenta vivir su identidad en todos los aspectos de la vida, incluido el amor. Una lectura obligada (y no solo para ellas).

DISCOS
MUJER DIVINA

En este disco, Natalia Lafourcade reinterpreta los temas del mítico Agustín Lara. El disco combina pop, sonidos electrónicos y aires mexicanos, y cuenta con colaboraciones de auténtico lujo, como Jorge Drexler, Gilberto Gil y Kevin Johansen, entre otros.

PELÍCULAS
NOSOTROS LOS NOBLES

Esta película de Gary Alazraki es una divertida comedia que cuenta la historia de tres hermanos de buena familia que pierden sus privilegios y se ven obligados a hacer lo que nunca han hecho: trabajar. La película ha sido todo un fenómeno social en el país y se ha convertido en la más taquillera del cine mexicano.

> • *Me gustaría ver la película, parece muy interesante...*

B. Vas a oír tres conversaciones. En ellas, dos personas hablan de estas obras. ¿Qué obra están valorando?
29-31

C. Vuelve a escuchar las conversaciones y completa el cuadro.
29-31

	¿Le gustó?	¿Qué dice de la obra?
1	Mal De Amores	Muy bueno, super interesante, le encanta
2	Mujer Divina	Muy americanos mexicana, electronicos, muy bonitas co cononido, muy actual
3	Nosotros Los Nobles	Le gusta mucho, Muy divertida

4. ¿HAS ESTADO EN MÁLAGA? 🔵 P. 163, EJ. 4; P. 164, EJ. 5-6

A. En estos diálogos aparecen dos tiempos verbales. ¿Cuáles?

• **¿Has estado** alguna vez en Málaga?
○ Sí, **he estado** tres o cuatro veces.

• **¿Has estado** en Málaga?
○ No, no **he estado** nunca.

• **¿Has estado** en Málaga?
○ Sí, **estuve** la primera vez el año pasado, y esta primavera **he estado** otra vez.

• ¿Qué tal el fin de semana?
○ Fantástico, ¡**hemos estado** en Málaga!

• ¿Viajas mucho?
○ Bastante, el mes pasado **estuve** en Málaga, en Barcelona y en Milán.

B. Ahora, mira el cuadro y decide qué tiempo verbal se usa en cada uno de los tres casos: el pretérito perfecto o el pretérito indefinido.

1	Hablamos del pasado, pero no queremos hacer referencia a cuándo se produjeron los hechos. En estos casos, solemos usar expresiones como **alguna vez**, **varias veces**, **nunca** o **todavía no**.	○ pretérito indefinido ✓ pretérito perfecto
2	Hablamos del pasado y queremos expresar que los hechos se produjeron en un momento relacionado con el presente. En estos casos, solemos usar expresiones como **hoy**, **este año**, **este mes** o **este fin de semana**.	○ pretérito indefinido ✓ pretérito perfecto
3	Hablamos del pasado y queremos expresar que los hechos se produjeron en un momento no relacionado con el presente. En estos casos, solemos usar expresiones como **el año pasado**, **ayer**, **el otro día** o **la semana pasada**.	✓ pretérito indefinido ○ pretérito perfecto

C. Completa ahora estas frases con los verbos en pretérito perfecto o indefinido.

1
• Nunca _~~he encontrado~~_ (entrar, yo) en la catedral.
○ ¿Nunca? ¡No me lo puedo creer!

2
• ¿Qué _has_ (hacer, tú) este fin de semana?
○ Pues el sábado _fuimos_ (ir) al cine y ayer _____ (quedarse) todo el día en casa.

3
• Este año no _~~he ido~~_ (ir, yo) a la playa ni un solo día.
○ Yo _he ido_ (ir) algunas veces, pero pocas.

4
• ¿Alguna vez _has estado_ (estar, tú) en Latinoamérica?
○ Sí, _he estado_ (estar) muchas veces. El verano pasado, por ejemplo, _fui_ (ir) a Bolivia.

5. ME CAYÓ GENIAL P. 164, EJ. 7; P. 165, EJ. 8-9

A. Aquí tienes tres correos que Claudia ha escrito a amigos suyos. Marca todas las frases en las que hace alguna valoración (de experiencias, de lugares, de personas, etc.).

Asunto: ¿Qué tal?

¡Hola Edith!
¿Qué tal por Londres? Yo, por aquí, feliz. ¿A que no sabes qué hice el viernes pasado? Me fui en tren a Sevilla a pasar el fin de semana con Carlos. ¡Fue fantástico! Salimos a cenar, paseamos mucho y estuvimos con sus amigos. Me lo pasé fenomenal. ¡Ah! También conocí a sus padres: me cayeron muy bien, son muy simpáticos. ¡Un fin de semana perfecto! ¿Y tú? ¿Qué me cuentas? ¿Cómo te va todo? Escríbeme.
Besos desde Madrid,
Claudia

Asunto: Exposición

¡¡¡Hola Félix!!!
¿Qué tal? Ayer fui a la inauguración de la exposición de cerámica de tu amiga Sandra. Tengo que decirte la verdad: ¡¡no me gustó nada!! ¡Qué horror! Pero no todo fue negativo. Conocí a su hermano Pablo, que me cayó genial y... hoy vamos a ir a cenar... ¿Qué me dices?
Besos,
Claudia

Asunto: holaaaaaa

¡Hola Paco!
¿Qué tal la vida en París? Yo últimamente salgo bastante con Santi y con Laila. El lunes me llevaron al restaurante de su hermano. La verdad, no me gustó mucho, y me pareció un poco caro. Ayer fui con ellos al cine a ver la última película de Icíar Bollaín. ¡Qué película tan buena! Me encantó. ¿La has visto?
Ya ves, por aquí todo está como siempre.
¿Cuándo vienes?
Claudia

B. ¿Cuáles de esas valoraciones son positivas? ¿Cuáles negativas?

C. ¿Te has fijado en cómo funciona la expresión **caer bien / mal**? Relaciona.

1 Ayer conocí a Luis y a Mar. Son muy simpáticos.

2 Ayer conocí a Pedro. Es muy simpático.

3 Ayer conocí a los padres de Paz. Son un poco antipáticos, ¿no?

4 Ayer conocí a Fede. No es muy simpático, ¿no?

A Me cayó muy bien.

B Me cayeron muy bien.

C No me cayó muy bien.

D No me cayeron muy bien.

6. ¡QUÉ INTERESANTE! ⊕ P. 162, EJ. 1; P. 166, EJ. 14

A. Lee estos fragmentos de una conversación entre dos compañeros de trabajo. Carmen le cuenta a Iñaki lo que piensa hacer en sus vacaciones. Completa los fragmentos con las reacciones de Iñaki. Puede haber varias posibilidades.

> ¡Qué emocionante!   ¡Qué envidia me das!   ¡Qué barato!
>
> ¡Qué bien!   ¡Qué horror!   ¡Qué curioso!   ¡Qué templo tan espectacular!

- Hola, Carmen, ¿qué tal?
- Muy bien, mañana empiezo mis vacaciones...
- *¡Qué bien!* ¿Qué vas a hacer?
- Me voy a Tailandia.   *espectular!*
- *¡Qué templo* Cuéntame un poco de tu plan...
- Bueno, el vuelo es hasta Bangkok... *¡Qué envidia me das!*
- Oye, ¿y cuánto te ha costado el vuelo?
- 650 euros.
- *¡Qué barato!*
- Sí, muy barato, he conseguido muy buena oferta... Bueno, paso una noche en Bangkok y luego me voy a Chiang Mai. Es una zona menos turística, ¡y voy a hacer una ruta en elefante!   *¡Qué emocionante! das!*
- ¿En serio? *¡Qué envidia me!* Yo siempre he querido montar en elefante.
- Sí, (...) Después voy a visitar un poblado más al norte, donde viven las mujeres jirafa. (...) A estas mujeres desde pequeñas se les colocan unos aros en el cuello y tienen el cuello muy largo...   *horror!*
- *¡Qué curioso!*   Bueno, ¿y después de eso qué vas a hacer?
- Después vuelvo a Bangkok y de ahí voy a las islas Phi Phi. (...) Pero bueno, una amiga que fue el año pasado me ha dicho también que hay que tener cuidado con los monos; hay muchos, e incluso te abren la mochila para agarrarte la comida...   *curioso!*
- *¡Qué horror!*
- Sí. (...) La verdad es que tengo muchas ganas de hacer este viaje. También me gustaría ver los templos de Buda, en Bangkok. Mira este, tengo una foto, mira, es impresionante...   *templo tan espectular*
- Sí, *¡Qué emocionante!*
- Sí, ¿no?
- Pues que disfrutes mucho de tu viaje, Carmen. ¡Ya me contarás qué tal!

B. Escucha cómo ha reaccionado Iñaki.

32

C. Ahora reacciona de manera lógica usando algunas de las expresiones de la actividad A. Puede haber más de una opción.

1. ¿Te gusta mi bolso? Me ha costado 15 euros.
   ¡Qué barato!

2. ¿Has leído esta noticia? Un avión se ha estrellado en medio del Pacífico.
   ¡Qué horror!

3. ¡Carla y yo nos casamos!
   ¡Qué bien!

4. Según este artículo, el 15% de las mujeres de EE. UU. se mandan flores a sí mismas el día de los enamorados.
   ¡Qué curioso!

5. Mañana me voy dos semanas a Menorca.
   ¡Qué envidia me das!

HABLAR DE EXPERIENCIAS EN EL PASADO

Usamos el pretérito perfecto cuando preguntamos si una acción se ha realizado o no sin interesarnos por cuándo se ha realizado.

¿Has estado en la catedral? *¿Has visto la última película de Bollaín?*
¿Has ido a Toledo?

También usamos el pretérito perfecto cuando informamos de un hecho situándolo en un tiempo que tiene relación con el presente.

Este fin de semana he comido demasiado. *Hoy he desayunado un café con leche*
Esta semana he leído tres libros. *y unas tostadas.*

También usamos el pretérito perfecto cuando no interesa el momento en el que hemos realizado algo.

He estado en Barcelona varias veces. *Ya he visto la película. Es buenísima.*
Todavía no he probado la paella.

Usamos el pretérito indefinido cuando informamos de una acción pasada sin relacionarla con el presente.

Ayer estuve en casa de Carlos. *El martes pasado no hice los deberes.*
El otro día fui a la catedral.

(!) En algunos lugares de España y de América Latina se utiliza el pretérito indefinido en vez del pretérito perfecto en los usos anteriores.

¿Habéis visto "Matrix 5"?

No, yo todavía no la he visto.

Sí, yo la vi ayer. Es muy buena.

EXPRESAR EL DESEO DE HACER ALGO **(+)** P. 162, EJ. 2

		GUSTARÍA + INFINITIVO
(A mí)	**me**	
(A ti)	**te**	
(A él/ella/usted)	**le**	
(A nosotros/nosotras)	**nos**	**gustaría** ir / ver / comprar
(A vosotros/vosotras)	**os**	
(A ellos/ellas/ustedes)	**les**	

● *¿Te gustaría ir al circo esta tarde?*
○ *Sí, mucho.*

VALORAR **(+)** P. 167, EJ. 15-16

FRASES EXCLAMATIVAS

qué + adjetivo	→ *¡Qué guapo / horrible / bonito...!*
qué + sustantivo	→ *¡Qué maravilla / horror / gracia!*
qué + sustantivo + **tan/más** + adjetivo	→ *¡Qué día tan/más estupendo!*

EL VERBO PARECER

(A mí)	**me**	~~parecer~~	excelente/s
(A ti)	**te**		muy bueno/-a/-os/-as
(A él/ella/usted)	**le**	**pareció**	una maravilla
(A nosotros/nosotras)	**nos**	**parecieron**	un rollo
(A vosotros/vosotras)	**os**		un horror
(A ellos/ellas/ustedes)	**les**		

VALORAR COSAS Y ACTIVIDADES LÚDICAS

● *¿Qué tal la comida?*
○ *Me encantó.*

● *¿Qué tal los libros?*
○ *No me gustaron mucho / nada.*

● *¿Qué te/le pareció la película?*
○ *Me gustó mucho / bastante.*

● *¿Qué te/le parecieron los libros?*
○ *(Me parecieron) un rollo / increíbles /*
un poco* aburridos...

(!) * Usamos **un poco** cuando hablamos de características que consideramos negativas.

PASÁRSELO + BIEN / MAL			
(yo)	**me**	**lo**	**pasé**	
(tú)	**te**	**lo**	**pasaste**	
(él/ella/usted)	**se**	**lo**	**pasó**	bien / mal
(nosotros/-as)	**nos**	**lo**	**pasamos**	
(vosotros/-as)	**os**	**lo**	**pasasteis**	
(ellos/ellas/ustedes)	**se**	**lo**	**pasaron**	

● *¿Qué tal la fiesta de cumpleaños?*
○ *Yo me lo pasé muy bien, pero Ángela se aburrió un poco.*

(!) En muchos países se dice **pasarla bien / mal**.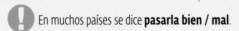

VALORAR PERSONAS

● *¿Qué te/le pareció Luis?*
¿Qué te/le parecieron los padres de Luis?
○ *Me cayó/cayeron (muy) bien.*
No me cayó/cayeron muy bien.
Me cayó/cayeron muy mal.

7. SONIQUETE, ROSARIO Y MORELLA

33-35

A. Vas a escuchar tres conversaciones. Completa el cuadro.

	¿QUÉ ES?	¿CÓMO LO VALORAN?
1. Soniquete	Un restaurante	No le pareció cara, música flamenca, auténtico
2. Rosario	Novio de Carlos	Le pareció muy simpático y le encantó
3. Morella	Castillo, un pueblo	Le encantó y le gustó

B. Piensa en un lugar (un país, una ciudad...) que te impresionó cuando fuiste por primera vez. Luego, pregunta a tus compañeros si han estado en ese lugar y si les causó la misma impresión.

> • Yo estuve hace dos años en San Petersburgo y me encantó. Me pareció la ciudad más bonita del mundo. ¿Alguien ha estado?
> ○ Sí, yo estuve hace 3 años y...

8. COSAS EN COMÚN

A. En parejas, tenéis que encontrar un libro y una película que hayáis visto los dos y que os hayan gustado.

> • ¿Has leído El señor de los anillos?
> ○ ¿El señor de los anillos?
> • Sí, el libro de Tolkien: The Lord of the Rings.
> ○ Ah, sí, sí, lo he leído. Me gustó mucho.

PARA COMUNICAR

Lo/la/los/las he visto / leído.
Lo/la/los/las vi / leí hace tiempo / el año pasado.
No **lo/la/los/las** he visto / leído.

B. Ahora, contádselo al resto de la clase. ¿Vuestros compañeros tienen la misma opinión?

> • Los dos hemos leído El señor de los anillos y...

9. SOÑAR ES GRATIS

PEL

A. En parejas, imaginad que podéis crear el negocio de vuestros sueños: un restaurante, una discoteca, una galería de arte, etc. Decidid cuáles son sus características.

> Qué es
> Cómo se llama
> Dónde está
> Qué cosas / actividades hay / se hacen
> Otras características

B. Ahora vais a explicar a vuestros compañeros cómo es vuestro negocio. El profesor escribirá los nombres en la pizarra y, luego, comentaréis a cuáles os gustaría ir.

> • Nuestro negocio es un restaurante vegetariano y se llama "La lechuga feliz". Tenemos unas ensaladas muy buenas y cultivamos nuestras propias verduras...

10. EL PEOR SÁBADO DE LA VIDA DE TRISTÁN ⊕ P. 165, EJ. 10

 A. Tristán es una persona muy negativa. El sábado pasado hizo muchas cosas, pero nada le gustó. En parejas, escribid el correo que Tristán envió a un amigo para explicarle cómo le fue el día. Después, leédselo a vuestros compañeros. ¿Qué pareja ha escrito el mensaje más divertido?

Querido amigo Leoncio:

¡Qué sábado tan terrible!

B. ¿Has tenido alguna vez un día tan horrible o experiencias como las descritas en los correos que se han leído? Coméntalo con tus compañeros.

11. CONOCER LA CIUDAD

A. Una revista quiere publicar un artículo sobre qué cosas se pueden hacer en el lugar donde estudiáis español. En pequeños grupos, tenéis que poneros de acuerdo en qué cinco cosas se pueden recomendar a un visitante.

- un restaurante
- un museo
- un parque
- un barrio
- una calle

- una comida
- una excursión
- una bebida
- un edificio
- un rincón con encanto

- Podemos recomendar el Museo de Arte Contemporáneo, ¿no?
- Yo no lo conozco; no he estado nunca...
- A mí me encanta. Es superinteresante.
- ¿Y un parque? ¿Os gusta el Jardín Botánico? ¿Habéis estado?

B. Escribid el artículo y colgadlo en una pared del aula para que vuestros compañeros lo puedan leer.

C. Ahora, entre todos, vais a elegir las cinco mejores recomendaciones.

12. ¡ESPECTACULAR!

A. Una revista ha publicado un artículo con lugares espectaculares de países hispanos. Lee los textos. ¿Cuál te parece más espectacular?

CUATRO LUGARES ESPECTACULARES

Machu Picchu

No existen documentos históricos sobre esta antigua ciudad, por lo que las teorías sobre su origen son muy variadas. La teoría más aceptada es que la ciudad fue construida para el fundador del Imperio inca, Pachacútec Yupanqui; y después se convirtió en su mausoleo. Su localización y la calidad arquitectónica de las construcciones hacen de esta ciudad un lugar impresionante, digno del dios Sol y su corte.

Salar de Uyuni

Es el mayor desierto de sal del mundo y se encuentra en el Altiplano andino, en Bolivia. Está rodeado por montañas volcánicas de hasta 5000 metros. Este desierto se inunda con las lluvias en invierno y se seca en verano. Por eso, la mejor época para visitarlo es de noviembre a mayo, cuando se seca y es posible caminar por las capas de sal que lo forman.

B. ¿Conoces algún lugar espectacular? Busca información en internet y prepara una breve presentación. Votad cuál os parece el más espectacular.

▶ **VÍDEO** aula.difusion.com

EL SECRETO DE SUS OJOS

Capillas de mármol

En plena Patagonia se encuentra uno de los lugares más hermosos del mundo. Las capillas de mármol son unas majestuosas cuevas de diversas tonalidades de azul, rosa y blanco, y de hasta 4 metros de alto. Se pueden visitar durante todo el año, aunque es mejor hacerlo cuando el nivel del mar está más bajo y se puede acceder a los túneles en pequeñas embarcaciones.

Calakmul

En lengua maya, Calakmul significa "ciudad de las dos pirámides". El visitante tiene la oportunidad de admirar unas ruinas mayas en excelente estado de conservación y, además, de estar en contacto con especies de animales y plantas únicos en el mundo. Y es que lo espectacular de este lugar no es solo su arquitectura, sino su increíble ubicación: se encuentra en plena selva, en la reserva natural de Calakmul.

⊞ EN CONSTRUCCIÓN

¿Qué te llevas de esta unidad?

Lo más importante para mí:

....
....

Palabras y expresiones:

....
....

Algo interesante sobre la cultura hispana:

....
....

Quiero saber más sobre...

....
....

9 ESTAMOS MUY BIEN

EMPEZAR

1. PRODUCTOS NATURALES

A. Lee este texto sobre el tomillo. ¿Qué productos son adecuados en cada caso?

- Para la piel irritada
- Para la tos
- Para la caspa
- Para los dolores de cabeza
- Para prevenir los resfriados

B. ¿Conoces otros remedios naturales? ¿Qué beneficios tienen? ¿Qué productos se hacen con ellos?

- • *El limón va bien para los resfriados.*
- ○ *Sí, y el té de limón es bueno para la tos.*

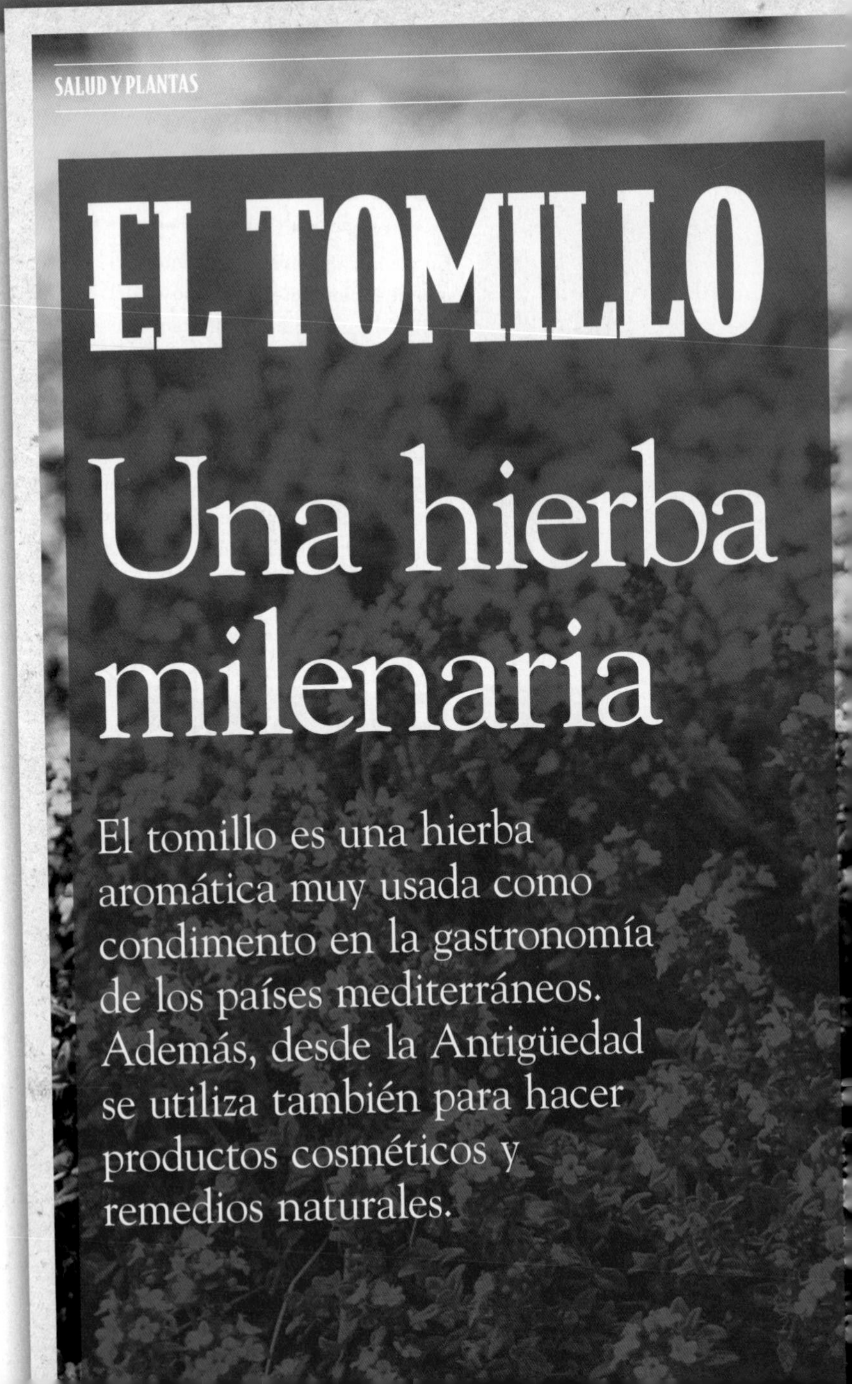
SALUD Y PLANTAS

EL TOMILLO

Una hierba milenaria

El tomillo es una hierba aromática muy usada como condimento en la gastronomía de los países mediterráneos. Además, desde la Antigüedad se utiliza también para hacer productos cosméticos y remedios naturales.

EN ESTA UNIDAD VAMOS A

BUSCAR SOLUCIONES PARA ALGUNOS PROBLEMAS DE NUESTROS COMPAÑEROS

RECURSOS COMUNICATIVOS

- dar consejos
- hablar de estados de ánimo
- describir dolores, molestias y síntomas

RECURSOS GRAMATICALES

- usos de los verbos **ser** y **estar**
- verbo **doler**
- forma y algunos usos del imperativo afirmativo

RECURSOS LÉXICOS

- partes del cuerpo
- estados de ánimo
- enfermedades y síntomas

INFUSIÓN DE TOMILLO
Facilita la digestión después de comidas pesadas y previene los resfriados. También ayuda a dormir.

CHAMPÚ DE TOMILLO
Previene la caída del cabello y es un remedio eficaz contra la caspa.

MIEL DE TOMILLO
Es recomendable para las personas que tienen anemia, ya que es muy rica en hierro. También es un remedio eficaz contra la tos y el dolor de garganta.

ACEITE ESENCIAL
En aromaterapia, se usa el aceite esencial de tomillo para combatir los dolores de cabeza y las migrañas.

TÓNICO
El tónico de tomillo se usa para lavar las heridas y para tratar la piel irritada o con acné.

2. ¿CUIDAS TU CUERPO? ⊕ P. 168, EJ. 1-2

A. Una revista ha publicado un artículo con consejos para cuidar el cuerpo. ¿Sigues alguno?

> • Yo siempre me desmaquillo antes de acostarme, pero casi nunca me pongo crema después de ducharme.
> ○ Pues yo siempre me pongo protector solar en verano.

B. En parejas, elegid los cinco consejos que os parecen más importantes. ¿Conocéis otros consejos para cuidar el cuerpo?

> • Yo creo que lo más importante es hacer deporte.
> ○ Sí, y también comer bien.

¿TE PREOCUPAS POR TU CUERPO?

¿SABES CÓMO CUIDAR LAS DIFERENTES PARTES DEL CUERPO? AQUÍ TIENES ALGUNOS PRÁCTICOS CONSEJOS.

LA CARA
- Debes ponerte crema hidratante por lo menos una vez al día.
- Recuerda que tienes que desmaquillarte antes de ir a dormir.
- En verano ponte crema protectora.

LOS OJOS
- Come alimentos con vitamina C, como la naranja o la zanahoria.
- Ponte gafas de sol en verano.
- Si tienes los ojos irritados, va muy bien lavarlos con manzanilla.

LOS LABIOS
- Debes hidratarlos regularmente con crema de cacao.
- Fumar reseca los labios y los envejece.

EL PELO
- Para tener un pelo sano, hay que comer a diario frutas y verduras.
- En verano, debes protegerlo del sol: usa un protector solar o cúbrete la cabeza con un gorro.

LAS MANOS
- Si tienes que lavar los platos a menudo, usa guantes y jabones suaves.
- En invierno debes ponerte guantes para protegerlas del frío.

LA ESPALDA
- Debes cuidar la postura mientras duermes: dormir boca abajo no es aconsejable; lo mejor es dormir de lado.
- Para evitar el dolor de espalda, dobla las rodillas al agacharte.
- Para fortalecerla, puedes practicar natación.

LOS BRAZOS Y LOS HOMBROS
- Para fortalecerlos, puedes practicar natación, boxeo o remo.
- Hay que hidratarse la piel de brazos y hombros después de cada ducha.

LAS PIERNAS
- No es bueno ponerse prendas de ropa muy ajustadas: son malas para la circulación.
- Intenta caminar como mínimo 30 minutos al día. Además, deportes como la natación o el ciclismo van bien para fortalecer las piernas.

LOS PIES
- Lávalos, sécalos e hidrátalos a diario.
- Debes cortarte las uñas a menudo, siempre con un corte recto.
- Las personas que trabajan de pie tienen que utilizar siempre un calzado cómodo.

3. LENGUAJE CORPORAL

A. Comenta con un compañero las siguientes cuestiones.

- ¿A qué distancia te pones de una persona cuando hablas con ella?
- ¿Mueves las manos cuando hablas? ¿Te molesta si tu interlocutor lo hace?
- Cuando hablas con otra persona, ¿la miras a los ojos? ¿Te sientes incómodo si la otra persona mantiene la mirada mucho tiempo?

B. Lee este artículo sobre el lenguaje corporal. ¿Qué información da sobre España y los países hispanos? ¿Te sorprende alguna información?

SIN PALABRAS

Cuando conversas con alguien, no solo te comunicas con las palabras: tu cuerpo también envía mensajes. Pero el lenguaje corporal no es igual en todos los lugares.

MIRA A LOS OJOS

Los ojos expresan todas las emociones: por una mirada podemos saber si una persona está triste, preocupada, etc. Para los españoles, alguien que mira directamente a los demás es, generalmente, una persona segura y sincera.

MANOS QUE HABLAN

Las personas de culturas latinas y mediterráneas usan las manos y tocan más a los demás que los anglosajones o algunos asiáticos (como los japoneses). Para los españoles, en general, tocar al interlocutor demuestra cariño, pero también es cierto que hay personas que se sienten molestas cuando las tocan. Por otro lado, casi nunca es aconsejable participar en una conversación con las manos en los bolsillos porque eso puede interpretarse como una falta de respeto.

MÁS CERCA

La distancia es algo relativo: depende de la cultura de cada uno. Los latinoamericanos, por ejemplo, se sienten cómodos con personas que están a menos de 50 cm, mientras que un estadounidense normalmente necesita un metro, aproximadamente, para no sentirse "invadido".

GESTOS QUE MUESTRAN IMPACIENCIA O ABURRIMIENTO

Si una conversación no te interesa, la otra persona puede notarlo fácilmente por tus gestos. En las culturas occidentales, en general, levantarse todo el tiempo, cruzar las piernas varias veces o mirar constan-temente el reloj son signos evidentes de aburrimiento. Por eso, cuando estás sentado, es recomendable situarse en una posición cómoda y descansada para así respirar mejor. Además, si mueves los pies constantemente durante la conversación, el otro puede interpretar que estás nervioso, cansado o impaciente.

SONRÍE, POR FAVOR

Sonreír en una conversación transmite confianza y alegría, pero no hay que exagerar. Si sonríes demasiado, algunos españoles pueden tener la impresión de que no eres del todo sincero.

C. ¿Existen gestos o movimientos característicos de tu cultura o de tu país? ¿Hay alguna cosa importante que un extranjero que visita tu país tiene que saber?

4. ES BUENO PARA LA ESPALDA ⊕ P. 172, EJ. 15; P. 173, EJ. 18

A. ¿Qué partes del cuerpo fortaleces más con los siguientes deportes o actividades?

- La natación
- El tenis
- El ciclismo
- El yoga

- El remo
- El windsurf
- La danza
- Las flexiones

> • La natación fortalece la espalda.
> ○ Sí, y también va bien para los brazos.

B. ¿Practicas alguno de los deportes o actividades anteriores? Coméntalo con un compañero.

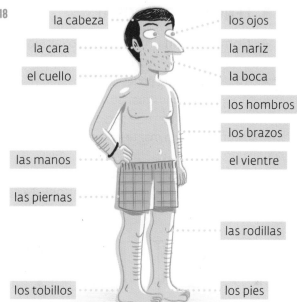

la cabeza · los ojos
la cara · la nariz
el cuello · la boca
· los hombros
· los brazos
las manos · el vientre
las piernas
· las rodillas
los tobillos · los pies

5. ESTÁ MAREADA ⊕ P. 168, EJ. 3; P. 173, EJ. 17

A. Completa con las siguientes palabras los problemas de salud de estas personas.

la cabeza   los pies   tos   mareado/-a   estómago

Le duele *la cabeza* Le duelen *los pies* Tiene *tos* Tiene dolor de *estómago* Está *mareado*

B. Ahora piensa con qué palabras se pueden usar las estructuras del cuadro para hablar de síntomas o de dolores.

- la cabeza
- cabeza
- los pies
- pies

- el estómago
- estómago
- diarrea
- resfriado/-a

- tos
- fiebre
- la espalda
- espalda

- oídos
- los oídos
- náuseas
- enfermo/-a

- mareado/-a
- pálido/-a
- muelas
- las muelas

LE DUELE	LE DUELEN	TIENE DOLOR DE	TIENE	ESTÁ
la espalda *la cabeza* *el estómago* *la espalda*	*los pies* *los oídos* *las muelas*	*pies muelas* *estómago* *espalda* *oídos*	*tos* *diarrea* *fiebre* *náuseas*	*resfriado* *mareado* *enfermo* *pálido*

6. TIENES QUE IR AL DENTISTA ➕ P. 169, EJ. 4-5

A. Vas a escuchar a cuatro personas que tienen problemas de salud. Escribe qué problema tienen.

36-39

1. _le duela una muela_
2. _tiene tos, está resfriada_
3. _tiene dolor de espalda_
4. _está afónico_

B. Estos son consejos para las personas del apartado A. ¿A cuál crees que corresponde cada uno?

2 Tienes que tomar mucha vitamina C: muchas naranjas, kiwis...

3 Para eso, va muy bien un masaje.

1 Deberías ir al dentista.

4 Para eso, lo mejor es tomar un vaso de agua caliente con miel y limón.

C. Escucha y comprueba.

40-43

D. Escribe en tu cuaderno un consejo para cada uno de estos tres problemas. Puedes buscar en internet.

1 Me muerdo mucho las uñas y no sé cómo dejar de hacerlo. _Debes cortártelas._

2 Últimamente tengo mucho acné en la cara. ¡Y ya no soy adolescente! _tienes que lavarte la cara._

3 Se me cae mucho el pelo, estoy preocupada. _puedes comprar un champú especial_

7. ¿ES O ESTÁ? ➕ P. 169, EJ. 6; P. 170, EJ. 7-8

A. Vas a escuchar una conversación entre un médico y su paciente. Marca qué información es correcta.

44

		V	F
Santiago...	...**está** muy ocupado.	✓	
	...**está** mareado.	✓	✓
	...**es** tranquilo.	✓	✓
	...**está** nervioso.	✓	
	...**es** de Bilbao, pero **está** viviendo en Madrid.	✓	
	...**es** muy impulsivo.		✓
	...**es** traductor.	✓	✓
	...**es** italiano.		✓
	...**está** ansioso.		
	...no **está** contento con su trabajo.	✓	✓
	...**es** muy responsable.	✓	✓
	...**está** haciendo un máster.	✓	

B. Fíjate en las frases en las que aparecen los verbos **ser** y **estar**. ¿En qué casos crees que se utiliza cada uno? Completa el cuadro.

En la descripción (nacionalidad, aspecto físico, profesión, carácter...) se usa el verbo _ser_

Para hablar de características que presentamos como temporales se usa _estar_

Para hablar de acciones que se desarrollan en el presente se usa _estar_ + gerundio

8. REMEDIOS NATURALES ⊕ P. 171, EJ. 9-11

A. Aquí tienes tres recetas para preparar remedios caseros. ¿Para qué crees que sirve cada uno?

- Para combatir la caída del pelo.
- Para hidratar los pies.
- Para curar la tos.

> • Yo creo que la loción de ortiga sirve para...

B. En dos recetas se habla de **tú** y en una, de **usted**. ¿Sabes en cuáles?

Mascarilla de aguacate

Ingredientes: un aguacate y un yogur natural.

- **Haz** una pasta con el aguacate y **mézclala** con el yogur.
- **Ponte** esa pasta en los pies.
- **Envuelve** cada pie en una bolsa de plástico.
- **Quítate** la bolsa y **lávate** bien los pies.

Loción de ortiga

INGREDIENTES:
HOJAS DE ORTIGA Y AGUA

- **Compra** hojas de ortiga en una tienda de productos naturales.
- **Pon** las hojas en una olla y **añade** medio litro de agua.
- **Hierve** el agua con las hojas durante 10 minutos.
- **Deja** reposar el líquido toda la noche.
- **Frota** el cuero cabelludo con esa mezcla.

INFUSIÓN DE ANÍS

Ingredientes: 20 gramos de semillas de anís y agua.

Compre semillas de anís y **macháquelas**. **Hierva** una taza de agua y **añada** las semillas. **Tape** la taza y **deje** reposar la mezcla un cuarto de hora. **Tome** la infusión varias veces al día, bien caliente. **Beba** muy despacio.

C. Los verbos en negrita están en imperativo. ¿Sabes cómo se forma este tiempo? Completa los cuadros.

D. Fíjate ahora en los verbos que llevan pronombres. ¿Qué posición ocupan esos pronombres?

E. Escribe los infinitivos de todos los verbos en negrita. ¿Qué verbos son irregulares? Dos de ellos tienen las mismas irregularidades que otro tiempo verbal. ¿Sabes cuáles son y de qué tiempo verbal se trata?

	IMPERATIVO AFIRMATIVO		
	comprar	**beber**	**añadir**
(tú)	compra	bebe	añade
(vosotros/-as)	comprad	bebed	añadid
(usted)	compre	beba	añada
(ustedes)	compren	beban	añadan

IMPERATIVO ⊕ P. 172, EJ. 14

IMPERATIVO AFIRMATIVO

El imperativo afirmativo en español tiene cuatro formas: **tú** y **vosotros/-as**, **usted** y **ustedes**.

	COMPRAR	COMER	VIVIR
(tú)	compr**a**	com**e**	viv**e**
(vosotros/-as)	compr**ad**	com**ed**	viv**id**
(usted)	compr**e**	com**a**	viv**a**
(ustedes)	compr**en**	com**an**	viv**an**

La forma **tú** se obtiene eliminando la **-s** final de la forma correspondiente del presente.

compra**s** ➔ **compra**   come**s** ➔ **come**   vive**s** ➔ **vive**

Los verbos que en presente de indicativo tienen las irregularidades **E > IE**, **O > UE** y **E > I** mantienen esas irregularidades en las formas **tú**, **usted** y **ustedes** del imperativo.

piensas ➔ piensa   duermes ➔ duerme   pides ➔ pide
piensa ➔ piense   duerme ➔ duerma   pide ➔ pida
piensan ➔ piensen   duermen ➔ duerman   piden ➔ pidan

Existen algunos verbos irregulares en la forma **tú**.

poner ➔ **pon**   tener ➔ **ten**   ser ➔ **sé**
hacer ➔ **haz**   venir ➔ **ven**   ir ➔ **ve**
salir ➔ **sal**   decir ➔ **di**

La forma **vosotros/-as** se obtiene al sustituir la **-r** del infinitivo por una **-d**.

hablar ➔ **hablad**   comer ➔ **comed**   vivir ➔ **vivid**

Con el imperativo, los pronombres van detrás del verbo.
Lávate bien los pies e **hidrátalos** cada día.

ALGUNOS USOS DEL IMPERATIVO

RECOMENDAR Y ACONSEJAR

Ponte protector solar.   **Haz** deporte tres veces a la semana.
Camina 30 minutos al día.   **Vete** de vacaciones y **relájate**.

DAR INSTRUCCIONES

Ponte la mascarilla y **espera** dos horas. Luego **lávate** bien la cara con agua tibia.

HABLAR DE DOLORES, MOLESTIAS Y SÍNTOMAS

EL VERBO DOLER

me/te/le/ nos/os/les	**duele**	la cabeza. (NOMBRE EN SINGULAR)
	duelen	los pies. (NOMBRE EN PLURAL)

Tener + dolor de Ø cabeza / espalda / oído...
Tener + tos / fiebre / frío / calor / náuseas / mala cara...
Estar + mareado/-a, resfriado/-a, cansado/-a, pálido/-a...

● ¿Qué le pasa, señora Torres? **Tiene** mala cara.
○ Me **duele** mucho la cabeza y **estoy** un poco mareada.

DAR CONSEJOS

	CONSEJOS IMPERSONALES
	lo mejor es hacer deporte. **va (muy) bien** desayunar fruta.
(Para adelgazar) **(Si** quiere/s adelgazar,)	CONSEJOS PERSONALES
	tiene/s que comer menos. **debe/s** hacer más deporte. **debería/s** andar más. **puede/s** hacer una dieta. **intente/a** comer menos dulces.

poner los pies en alto

SER Y ESTAR

SER	ESTAR
IDENTIFICAR, DEFINIR Y DESCRIBIR PRESENTANDO LAS CARACTERÍSTICAS COMO ALGO PERMANENTE Y OBJETIVO	PRESENTAR LAS CARACTERÍSTICAS DE ALGO O DE ALGUIEN COMO TEMPORALES O SUBJETIVAS
Carlos **es** un amigo mío del colegio. Yuri **es** sueco, pero sus padres **son** rusos. Sandra **es** dentista. Además **es** muy guapo. ~~Está un chico guapo.~~	El novio de Tania **está** un poco raro últimamente: **está** triste, de mal humor, y además, **está** muy delgado... INDICAR LA UBICACIÓN O LA POSICIÓN El Teatro Real **está** cerca de aquí, ¿no? **Está** de pie / sentado/-a / tumbado/-a.

Hay adjetivos que se combinan con **ser** y con **estar** sin cambiar de significado.
Es impaciente. (= siempre)   **Está** impaciente. (= en este momento o últimamente)

Algunos adjetivos van únicamente con el verbo **ser**.
Es muy inteligente.   ~~Está muy inteligente.~~

Algunos adjetivos van únicamente con el verbo **estar**.
Está contento.   ~~Es contento.~~

Los participios usados como adjetivos van siempre con **estar**.
La puerta **está** abierta.   Las ventanas **están** cerradas.

Los adverbios **bien** y **mal** van siempre con **estar**.
Está muy bien.   ~~Es muy bien.~~

9. GESTOS

A. ¿Qué gestos o qué movimientos haces en las siguientes situaciones?

- cuando estás enfadado/-a
- cuando estás nervioso/-a
- cuando estás contento/-a
- cuando estás impaciente
- cuando estás triste

> • Cuando estoy enfadado, creo que pongo la boca así y cruzo los brazos...

B. Ahora vais a actuar. De uno en uno, tenéis que mostrar un estado de ánimo o una emoción. Los demás tienen que adivinar de qué emoción se trata.

> • ¿Estás nervioso?
> ○ No.
> • ¿Enfadado?

10. ¿CÓMO LO DIGO?

A. Fíjate en los gestos de las fotografías. En parejas, relacionad cada uno con lo que indica.

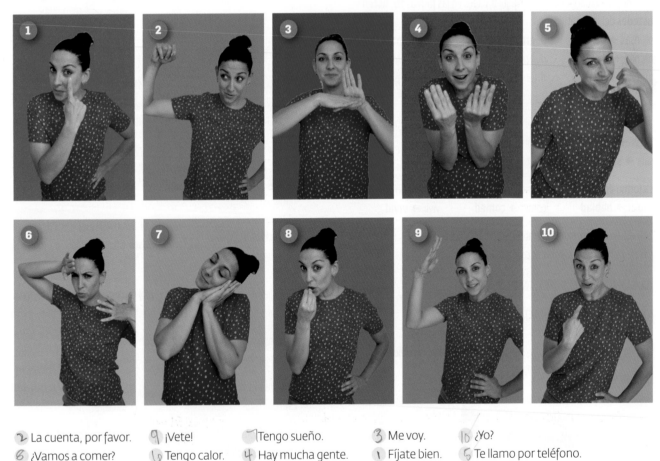

2 La cuenta, por favor.
6 ¿Vamos a comer?
9 ¡Vete!
6 Tengo calor.
Tengo sueño.
4 Hay mucha gente.
3 Me voy.
1 Fíjate bien.
10 ¿Yo?
5 Te llamo por teléfono.

B. ¿Haces los gestos anteriores para expresar lo mismo? ¿Y tus compañeros? ¿Qué otros gestos hacéis?

11. CONSULTORIO ⊕ P. 171, EJ. 12

A. Tres personas han escrito a un programa de radio para pedir consejo. En parejas, comentad qué consejos podéis darles.

La semana que viene tengo que hablar en público y estoy muerto de miedo.
Pedro (Murcia)

Paso 12 horas al día delante del ordenador. ¿Qué puedo hacer para no perder la forma?
Cristina (Bilbao)

Una compañera de trabajo se divorció hace un mes. Me gusta mucho, pero no sé si es un buen momento para proponerle una relación.
Jorge (Madrid)

B. Escucha los consejos que les da la experta. ¿A quién va dirigido cada consejo? ¿Coinciden con los vuestros?

45-47

	Consejo para...	¿Qué dice?
1.	Pedro	Debes practicar mirando ~~a~~ *a hablar* espejo.
2.	Cristina	Tienes que hacer ejercicios mucho y come comida sana.
3.	Jorge	Viaja mucho, y ten ~~ta~~ *el* momento ~~y~~ tuyo

12. TENGO UN PROBLEMA ⊕ P. 172, EJ. 13

PEL

A. En una hoja aparte, escribe un problema o algo que te preocupa. Puede ser real o inventado, y tratar de cuestiones de salud, trabajo, relaciones personales, etc. Fírmalo con un pseudónimo.

B. Tu nota va a circular por toda la clase. Cada uno de tus compañeros va a escribir en la misma hoja una solución o un consejo para ayudarte.

C. Presenta a la clase los consejos que han escrito tus compañeros para tu problema. ¿Cuáles son los mejores?

MI PROBLEMA:

He adelgazado mucho últimamente. No tengo hambre y además estoy un poco estresada porque tengo mucho trabajo.
Salwa

CONSEJOS:

Hola, Salwa:
Deberías tomarte unas vacaciones y descansar. También tienes que cuidar tu alimentación. Va muy bien ir a un balneario para relajarse y comer sano.
Frank

13. NUEVOS HÁBITOS DEPORTIVOS  P. 173, EJ. 16

A. Lee este texto sobre la relación de los españoles con el deporte y luego comenta con tus compañeros los siguientes aspectos:

- ¿Hacéis deporte? ¿Lo hacéis por los mismos motivos que la mayoría de españoles?
- ¿Cuáles de los deportes mencionados hacéis o habéis hecho alguna vez? ¿Cuáles os gustan más? ¿Por qué?

LOS ESPAÑOLES Y EL DEPORTE

HÁBITOS DEPORTIVOS DE LOS ESPAÑOLES

Según una encuesta hecha por el Ministerio de Educación, Cultura y Deporte, los españoles hacen más deporte que hace diez años. Además, la mayoría no lo hace para disfrutar, sino porque va bien para relajarse, para luchar contra el estrés y, por supuesto, para estar en forma.

Lo curioso es que no se practican los mismos deportes que antes. El fútbol y la natación todavía están entre los más practicados, pero la novedad es que ahora la mayoría de los españoles hace gimnasia, en casa o en un gimnasio. En estos centros, muchos realizan actividades físicas guiadas, como pilates, danza del vientre, spinning, taichi, aikido o capoeira.

DEPORTES DE MODA

En los últimos veinte años se han puesto de moda nuevos deportes. Uno de ellos es el pádel, un deporte de raqueta que se juega en parejas en una pista completamente cerrada. Se inventó en México en los años 60 y en las últimas décadas se ha popularizado mucho en los países de habla hispana. Otro deporte que se practica cada vez más en los gimnasios es la zumba, un ejercicio aeróbico originario de Colombia que se hace a ritmo de salsa, cumbia o merengue. Los que lo han probado dicen que, además de divertido, es muy bueno para adelgazar y para tonificar los músculos. Y, aunque aún son minoritarios, cada vez se practican más algunos deportes acuáticos como el kitesurf, el paddle surf y el submarinismo.

B. ¿Qué deportes se practican más en tu país? Haz una lista y luego coméntalo con tus compañeros.

C. ¿Conoces algún deporte que se haya puesto de moda en los últimos años? Explica a tus compañeros en qué consiste. Si lo necesitas, puedes buscar información en internet.

MENOS DEPORTE QUE EN OTROS PAÍSES DE EUROPA

Aunque los españoles cada vez hacen más deporte, el porcentaje es todavía menor que el de otros países europeos.

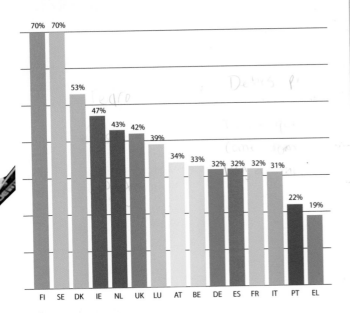

FI 70% · SE 70% · DK 53% · IE 47% · NL 43% · UK 42% · LU 39% · AT 34% · BE 33% · DE 32% · ES 32% · FR 32% · IT 31% · PT 22% · EL 19%

LOS 10 DEPORTES MÁS PRACTICADOS

1. Gimnasia de mantenimiento **35%**
2. Fútbol **27,5%**
3. Natación **22,4%**
4. Ciclismo **19,4%**
5. Carrera a pie **12,9%**
6. Montañismo, senderismo **8,6%**
7. Baloncesto **7,7%**
8. Tenis **6,9%**
9. Atletismo **6%**
10. Pádel **5,9%**

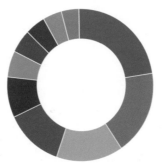

VÍDEO aula.difusion.com

⊞ EN CONSTRUCCIÓN

¿Qué te llevas de esta unidad?

Lo más importante para mí:

Palabras y expresiones:

Algo interesante sobre la cultura hispana:

Quiero saber más sobre...

MÁS EJERCICIOS

Este es tu "cuaderno de ejercicios". En él encontrarás actividades diseñadas para fijar y entender mejor cuestiones **gramaticales** y **léxicas**. Estos ejercicios pueden realizarse individualmente, pero también los puede usar el profesor en clase cuando considere oportuno reforzar un determinado aspecto.

También puede resultar interesante hacer estas actividades con un compañero de clase. Piensa que no solo aprendemos cosas con el profesor; en muchas ocasiones, reflexionar con un compañero sobre cuestiones gramaticales te puede ayudar mucho.

EL ESPAÑOL Y TÚ

1. Completa con tu información.

1. **Nombre:**

2. **País:**

3. **Profesión:**

4. **Otros idiomas:**

5. **¿Por qué estudias español?**
- ☐ Para conseguir un trabajo mejor.
- ☐ Porque tengo que hacer un examen.
- ☐ Porque tengo amigos españoles / latinoamericanos.
- ☐ Para conocer otra cultura, otra forma de ser.
- ☐ Porque quiero pasar un tiempo en algún país de habla hispana.
- ☐ Porque necesito el español para mi trabajo.
- ☐ Porque me gusta.
- ☐ Otros:

6. **¿Cuánto tiempo hace que estudias español?**

7. **¿Qué cosas te gusta hacer en clase?**
- ☐ Ejercicios de gramática.
- ☐ Actividades orales.
- ☐ Leer textos.
- ☐ Juegos.
- ☐ Trabajar en grupo.
- ☐ Traducir.
- ☐ Actividades con internet.
- ☐ Otros:

8. **¿Qué te cuesta más del español?**
- ☐ Entender la gramática.
- ☐ Pronunciar correctamente.
- ☐ Recordar el vocabulario.
- ☐ Hablar con fluidez.
- ☐ Otros:

9. **¿Qué te gusta hacer en tu tiempo libre?**

2. Completa las frases con **porque** o **para**.

Estudio español...

1. .... tengo amigos en España.

2. .... conseguir un trabajo mejor en mi país.

3. .... tengo un examen en la universidad.

4. .... pienso viajar por toda América.

5. .... entender las películas de habla hispana.

6. .... quiero pasar un tiempo en Argentina.

7. .... quiero trabajar en una empresa española.

8. .... mi novio es venezolano.

3. Escribe un texto como los del artículo de la actividad 3 (página 13) explicando cómo te sientes en clase de español (qué te gusta, qué no te gusta, qué te cuesta más, etc.).

4. Completa el texto conjugando en presente los infinitivos del recuadro.

levantarse	desayunar	tener
hablar	leer	ver	querer
vivir	estudiar	trabajar (2)

Jutta Schneider .... 38 años y hace cuatro

que .... en Oviedo. Es profesora de alemán

y .... en una escuela de idiomas. Tiene las

mañanas libres y por eso .... un poco tarde

y .... en un bar. .... toda la tarde

hasta las ocho y por las noches .... un

poco de español, ... la tele y .... ,

especialmente novelas de ciencia ficción. ....

muy bien español y le gusta mucho España. Todavía no

.... volver a Alemania.

5. Conjuga los verbos de este texto en primera persona del presente de indicativo y escribe debajo cuál es la profesión de María.

(levantarse) .... a las 8 h, (ducharse) .... ,

(vestirse) .... y sobre las 9 h (salir) .... de

casa. (tener) .... la clínica muy cerca de mi casa, así que

(poder) .... desayunar tranquilamente en un bar antes

de abrir. (empezar) .... a trabajar a las 9:30 h y a mediodía

(cerrar) .... de 14 a 16:30 h. Por la tarde (trabajar)

.... hasta las 20 h. La verdad es que el día pasa bastante

rápido porque me encanta mi trabajo. Desde pequeña (sentir)

.... un cariño especial por los animales y poder ayudarlos es

muy gratificante.

MARÍA es:

6. Escribe un texto como los de la actividad 4 de la página 14 explicando dónde vives, a qué te dedicas y cómo es tu rutina.

7. Escribe una pregunta posible para cada respuesta.

a. ....

Hace un año.

b. ....

Desde 2003.

c. ....

Desde hace 8 años.

d. ....

Dos semanas.

48

8. Escucha esta entrevista y completa las frases con la información que da la entrevistada.

1

Hace .... que vive en España.

2

Tiene una tienda de bicicletas desde hace

....

3

Habla español desde ....

4

Desde que .... ha aprendido mucho español.

5

Hace .... que no va a Alemania con su familia.

9. Subraya la opción correcta en cada una de las siguientes frases.

1. Me **cuesta** / **cuestan** aprender los verbos en español.
2. Para aprender vocabulario **va** / **van** muy bien leer.
3. Me **cuesta** / **cuestan** algunos sonidos del español como la jota y la erre.
4. A Peer y a mí nos **cuesta** / **cuestan** mucho entender a la gente.
5. Nosotros creemos que para recordar una palabra **va** / **van** bien escribirla.
6. A casi todos nos **cuesta** / **cuestan** hablar rápido.
7. Para estudiar **va** / **van** muy bien tener una gramática.
8. A Linnéa también le **cuesta** / **cuestan** las palabras muy largas.

10. ¿Qué recomiendas para solucionar estos problemas con el español?

> **tienes que**
> **lo mejor es**
> **va muy bien**

1. Para aprender vocabulario
2. Para entender a la gente
3. Para hablar con fluidez
4. Para practicar los verbos
5. Para no tener problemas con el orden de las palabras
6. Para pronunciar mejor
7. Para escribir correctamente

buscar palabras en el diccionario.

traducir.

leer mucho.

repetir muchas veces la misma frase.

escuchar canciones y ver la tele.

hablar con españoles.

hacer muchos ejercicios.

perder el miedo y hablar mucho.

Para aprender vocabulario va muy bien leer mucho y buscar palabras en el diccionario.

....
....
....
....
....
....
....

11. Completa según tus propias experiencias.

1. Me siento ridículo/-a cuando ....
2. Me siento muy bien cuando ....
3. Me siento seguro/-a cuando ....
4. Me siento fatal cuando ....
5. Me siento inseguro/-a cuando ....

12. Relaciona cada uno de los siguientes problemas con la conversación correspondiente.

A hoy es el cumpleaños de mi novio y no me he acordado. ¡Me lo ha recordado un amigo suyo!

B me cuesta mucho concentrarme en clase

C tengo un dolor de espalda horrible

D me han cobrado 50 euros de más en la factura

E mis alumnos siempre llegan tarde a clase

F tengo problemas de insomnio

G tengo que encontrar un trabajo urgentemente

1.
- Últimamente ....
- Para eso va muy bien tomarse una tila antes de acostarse.

2.
- ¡Ya estoy harto! .... No sé qué hacer.
- Hombre, yo creo que tienes que hablar seriamente con ellos.

3.
- Desde hace unos días, ... No sé, duermo igual que siempre, pero me encuentro muy cansado.
- ¿Ah, sí? Un amigo mío toma unas pastillas que le recetó el médico para eso y le van muy bien.

4.
- Soy un desastre. ....
- ¿En serio? ¿Y por qué no te compras una agenda?

5.
- .... o no sé cómo voy a pagar el alquiler.
- Pues tienes que empezar a buscar, ¿no?

6.
- ¡Es increíble! .... ¡Y esta es la tercera vez!
- Hombre, pues tienes que cambiarte de compañía.

7.
- Hace unos días que ....
- Para eso lo mejor es nadar un poco todos los días.

13. Completa esta ficha con información cultural sobre países de habla hispana. Si lo necesitas, puedes buscar en internet.

Un/-a escritor/-a:
....

Un/-a director/-a de cine:
....

Un actor o una actriz:
....

Un músico o un grupo musical:
....

Un/-a pintor/-a, un/-a escultor/-a, un/-a arquitecto/-a:
....

Un plato / una bebida:
....

Un lugar que hay que visitar:
....

Una fiesta popular:
....

Un producto típico:
....

SONIDOS Y LETRAS

14. Completa estas frases con las palabras adecuadas.

1. por qué / porque

a. Mi amiga habla muy bien inglés .... va a una escuela bilingüe.

b. ¿..................... estudias español?

2. cuándo / cuando

a. Me siento inseguro .... hablo en español.

b. ¿..................... usas el español?

3. qué / que

a. Creo .... ver películas en versión original va muy bien para aprender una lengua.

b. ¿..................... te gusta hacer en clase?

4. cómo / como

a. ¿..................... te sientes en clase?

b. En la clase de lengua los estudiantes pueden sentir emociones .... la ansiedad, el miedo o la frustración.

15. Escucha ahora las frases de la actividad anterior. ¿Notas las diferencias en la pronunciación de esas palabras?

49

LÉXICO

16. ¿De qué idioma crees que provienen estas palabras españolas? Luego busca en el diccionario de la RAE (www.rae.es/drae) y comprueba tus hipótesis.

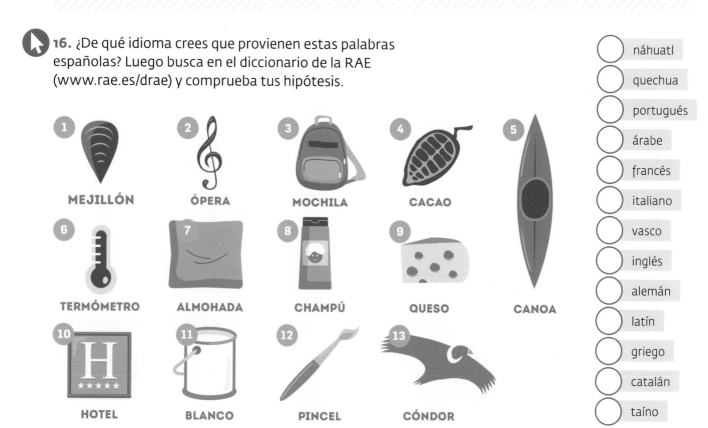

1. MEJILLÓN
2. ÓPERA
3. MOCHILA
4. CACAO
5. CANOA
6. TERMÓMETRO
7. ALMOHADA
8. CHAMPÚ
9. QUESO
10. HOTEL
11. BLANCO
12. PINCEL
13. CÓNDOR

náhuatl
quechua
portugués
árabe
francés
italiano
vasco
inglés
alemán
latín
griego
catalán
taíno

17. Completa estos cuadros con información sobre tu relación con las lenguas.

<table>
<tr><td></td><td>**LENGUAS QUE HABLO**</td><td></td></tr>
<tr><td>**LENGUAS QUE QUIERO APRENDER**</td><td></td><td>**COSAS QUE QUIERO HACER EN CLASE DE ESPAÑOL**</td></tr>
<tr><td></td><td>**COSAS QUE HAGO EN MI LENGUA**</td><td>**COSAS QUE HAGO EN ESPAÑOL**</td></tr>
</table>

18. Completa con adjetivos y sustantivos. Puedes consultar la actividad 3 de la página 13.

SUSTANTIVOS	ADJETIVOS
inseguridad	*inseguro*
	ansioso/-a
frustración	
	divertido/-a
	ilusionado/-a
ridiculez	
	entusiasmado/-a

19. Mi vocabulario. Anota las palabras de la unidad que quieres recordar.

UNA VIDA DE PELÍCULA

1. ¿Qué hicieron estas personas? Completa las frases con estos verbos.

> estuvo   grabaron   recibió   escribió
>
> pintó   fue   ganaron

1. Miquel Barceló .... la cúpula de la Sala de los Derechos Humanos de la ONU (Ginebra).

2. Octavio Paz .... el libro de poemas *Libertad bajo palabra*.

3. Javier Bardem y Penélope Cruz .... un Óscar en 2008 y 2009 respectivamente.

4. Marcelo Ríos .... el primer tenista latinoamericano en alcanzar el número 1 mundial.

5. Los fabulosos Cadillacs .... el primer disco MTV de una banda hispana.

6. César Milstein .... el Premio Nobel de Medicina en 1984.

7. Vicente Ferrer .... más de 50 años en la India realizando labores humanitarias.

2. Lee el texto sobre Amenábar de la página 25 y responde a las preguntas.

1. ¿Cuántos años tiene Alejandro Amenábar? ....

2. ¿En qué película de Amenábar se basó Tom Cruise para hacer *Vanilla Sky*? ....

3. ¿Qué película de Amenábar trata un tema social?

....

4. ¿Por qué se fueron de Chile los padres de Amenábar?

....

5. ¿En qué año se estrenó la película *Mar adentro*?

....

6. ¿Qué película de Amenábar protagonizada por Nicole Kidman tuvo mucho éxito?

....

3. Elige una de las siguientes películas de Alejandro Amenábar. Busca información sobre ella en internet y completa la ficha.

1.	*Abre los ojos*	**3.**	*Tesis*
2.	*Mar adentro*	**4.**	*Ágora*

Título:

Actores principales:

Año de estreno:

Argumento:

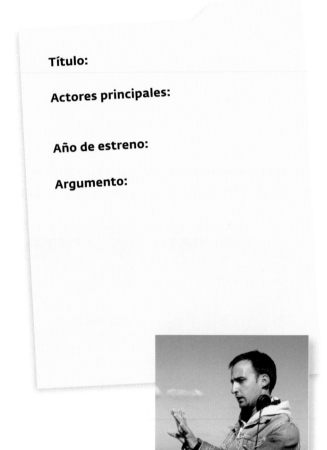

4. Escribe en tu cuaderno algunos datos biográficos de un director de cine, algún actor o alguna actriz de tu país.

5. Completa el cuadro con las formas verbales que faltan.

	ESTUDIAR	COMER	VIVIR	TENER
(yo)	estudié		viví	
(tú)		comiste		tuviste
(él/ella/usted)	estudió		vivió	
(nosotros/nosotras)		comimos		tuvimos
(vosotros/vosotras)	estudiasteis		vivisteis	
(ellos/ellas/ustedes)		comieron		tuvieron

6. Vas a escuchar a una persona que habla de la mejor experiencia de su vida. Marca las opciones correctas.

50

1. Lola estuvo...
☐ **a.** un año en un pueblo de Bolivia.
☐ **b.** un año en una de las mejores universidades de Estados Unidos.
☐ **c.** un tiempo en una casa okupa.

2. El objetivo de su estancia allí fue...
☐ **a.** colaborar en una ONG de ayuda a la infancia.
☐ **b.** hacer un doctorado sobre los indios aimaras.
☐ **c.** trabajar en una escuela con niños aimaras.

3. Lola es...
☐ **a.** diplomática.
☐ **b.** misionera.
☐ **c.** antropóloga y lingüista.

4. Lola hizo muchas cosas:
☐ **a.** dirigió un centro cultural, creó un programa de radio y dio clases.
☐ **b.** participó en un proyecto de reconstrucción de una iglesia, dirigió un centro cultural, hizo muchas excursiones y dio clases.
☐ **c.** hizo muchas excursiones, viajó por toda Bolivia, creó un programa de radio, dio clases en una escuela y participó en un proyecto de reconstrucción de una iglesia.

7. ¿De quién hablan en cada caso?

1. Llegó a la isla La Española (actual República Dominicana) en 1492.
2. Recibió el Premio Nobel de Literatura en 1982.
3. Vendió el estado de Alaska a los EE. UU. en 1867.
4. Compraron la isla de Manhattan a los indios iroqueses por 60 florines.
5. Escribieron muchos cuentos infantiles (*Hansel y Gretel*, *Blancanieves*, etc.).
6. Perdieron la batalla de Trafalgar.
7. Tuvo seis mujeres.
8. Compusieron muchas canciones famosas: *Yesterday*, *Let it be*, *All you need is love*, etc.

Los españoles	
Enrique VIII	
El zar Alejandro II	
Los Beatles	
Los hermanos Grimm	
Cristóbal Colón	
Gabriel García Márquez	
Unos colonos holandeses	

8. Marca las formas del pretérito indefinido que encuentres en las frases de la actividad anterior y colócalas en el lugar correspondiente en el cuadro. ¿Puedes escribir el resto de formas?

REGULARES			IRREGULARES
LLEGAR	VENDER	RECIBIR	TENER
llegué	vendí	recibí	tuve
llegamos	vendimos	recibimos	tuvimos

COMPRAR	PERDER	ESCRIBIR	COMPONER
compraste	perdiste	escribiste	compusiste
comprasteis	perdisteis	escribisteis	compusisteis

9. Ordena cronológicamente las siguientes expresiones temporales.

en 1975 ◯   el verano pasado ◯

hace una semana ◯   hace 4 años ◯

anteayer ◯   a finales del siglo pasado ◯

ayer ◯   a mediados de los 50 ◯

a principios de los 80 ◯

10. Completa las frases con información personal sobre tu pasado.

1. Empecé a estudiar español ....
2. Hace un año ....
3. Viajé por primera vez a otro país ....
4. En 2002 ....
5. Nací en ....
6. Ayer ....
7. .... fue la última vez que fui a una fiesta.
8. La semana pasada ....
9. El sábado pasado ....

11. Escribe tu currículum en español.

Nombre: ....
Apellido(s): ....
Pasaporte / DNI: ....
Lugar y fecha de nacimiento:

Formación académica

Experiencia laboral

Idiomas

Otros datos de interés

12. Completa las frases con **hace**, **desde**, **hasta**, **de**, **a**, **después** y **durante**.

1. Viví en Milán .... 2004 .... 2006.

2. Estudio español .... septiembre.

3. Encontré trabajo .... dos meses.

4. Trabajé como recepcionista .... enero .... julio de 2001.

5. Estuve en Mallorca .... la semana pasada.

6. Terminé la carrera .... cuatro meses.

7. Te esperé en el bar .... las siete.

8. Salgo con Miriam .... enero.

9. En 2000 me fui a vivir a Italia, pero dos años .... volví a España.

10. Llevan más de diez años casados; se conocieron .... el rodaje de una película.

13. Chavela Vargas es toda una leyenda de la canción mexicana. Lee su biografía y complétala conjugando en pretérito indefinido los verbos de las etiquetas.

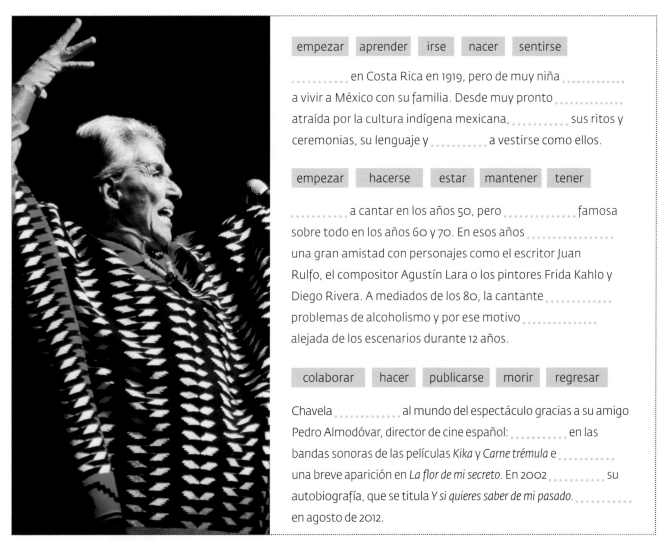

| empezar | aprender | irse | nacer | sentirse |

.... en Costa Rica en 1919, pero de muy niña .... a vivir a México con su familia. Desde muy pronto .... atraída por la cultura indígena mexicana, ... sus ritos y ceremonias, su lenguaje y .... a vestirse como ellos.

| empezar | hacerse | estar | mantener | tener |

.... a cantar en los años 50, pero .... famosa sobre todo en los años 60 y 70. En esos años .... una gran amistad con personajes como el escritor Juan Rulfo, el compositor Agustín Lara o los pintores Frida Kahlo y Diego Rivera. A mediados de los 80, la cantante .... problemas de alcoholismo y por ese motivo .... alejada de los escenarios durante 12 años.

| colaborar | hacer | publicarse | morir | regresar |

Chavela .... al mundo del espectáculo gracias a su amigo Pedro Almodóvar, director de cine español: .... en las bandas sonoras de las películas *Kika* y *Carne trémula* e .... una breve aparición en *La flor de mi secreto*. En 2002 .... su autobiografía, que se titula *Y si quieres saber de mi pasado*. .... en agosto de 2012.

SONIDOS Y LETRAS

51

14. Lee en voz alta estos verbos y marca cuál es su sílaba tónica. Luego, comprueba con la audición y marca la opción correcta en cada regla.

> estudié   estuve   tuve   comí   vine   nació   quiso   dijo   escribió

En la primera y en la tercera persona del singular de los verbos regulares, la sílaba tónica es la

☐ penúltima
☐ última

En la primera y en la tercera persona del singular de los verbos irregulares, la sílaba tónica es la

☐ penúltima
☐ última

LÉXICO

15. Busca en el texto de la página 25 las palabras que se corresponden con estas definiciones.

1 tipo de película que busca causar miedo en el espectador:

....

2 Actor o actriz que tiene un papel principal en una película:

....

3 Proyectar una película ante el público por primera vez:

....

4 Reconocimiento que obtiene un director o un intérprete por su trabajo en una película:

....

5 Película que sobrepasa los 60 minutos de duración:

....

16. ¿Qué cosas hace normalmente una persona a lo largo de su vida? Escríbelo. Puedes buscar las palabras en la unidad o en el diccionario.

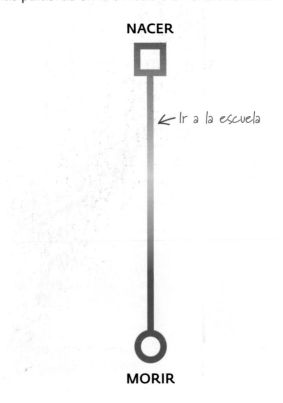

NACER

← Ir a la escuela

MORIR

17. Relaciona los elementos de las dos columnas para formar combinaciones posibles.

de casa

suerte

un premio

un romance

rico

éxito

de trabajo

famoso

una medalla

hacerse

tener

ganar

cambiar

18. Inventa la biografía de una persona. Tienen que aparecer, como mínimo, cinco de las expresiones de la actividad anterior.

19. Subraya la opción correcta en cada caso. Luego, traduce **ir** e **irse** a tu lengua.

• ¿Te quedaste hasta el final de la fiesta?
○ No, **fui / me fui** un rato antes.

• ¿Conoces el museo del Prado?
○ Sí, **fui / me fui** hace unos meses.

20. Mi vocabulario. Anota las palabras de la unidad que quieres recordar.

YO SOY ASÍ

1. Busca en internet dos famosos que se parecen. Describe cómo son y explica el parecido.

2. Subraya las irregularidades de estos verbos. Luego, conjuga los verbos **conocer** y **vestirse**.

	PARECERSE	MEDIR
(yo)	me parezco	mido
(tú)	te pareces	mides
(él/ella/usted)	se parece	mide
(nosotros/nosotras)	nos parecemos	medimos
(vosotros/vosotras)	os parecéis	medís
(ellos/ellas/ustedes)	se parecen	miden

	CONOCER	VESTIRSE
(yo)	....	....
(tú)	....	....
(él/ella/usted)	....	....
(nosotros/nosotras)	....	....
(vosotros/vosotras)	....	....
(ellos/ellas/ustedes)	....	....

3. Escribe en tu cuaderno el anuncio de alguien ideal para esta persona.

Magda
Tengo 40 años y soy dependienta en un centro comercial. Estoy divorciada y vivo con mi hijo de 12 años. Soy alta, tengo el pelo castaño y rizado y los ojos marrones. Mis amigos dicen que me parezco un poco a Julia Roberts. Quiero conocer a un hombre soltero o divorciado, de 35 a 45 años. Me gustan los hombres morenos, con barba, no necesariamente muy guapos pero con carácter. No busco una relación estable.

4. Relaciona cada pregunta con su respuesta.

1. ¿Quién es Juan?
2. ¿Cómo es tu prima?
3. ¿Quiénes son aquellos de azul?
4. ¿Qué lleva Penélope?
5. Aquella de negro, ¿quién es?
6. ¿Son los que están en la puerta?
7. ¿Quiénes son esas?
8. ¿Cómo es tu novio?
9. ¿Quién es tu madre?
10. ¿Y tú? ¿A quién te pareces?

a. Mis abuelos.
b. Alto, delgado, tiene los ojos verdes...
c. Sí, son ellos.
d. El de la chaqueta marrón.
e. Un vestido gris y unos zapatos negros.
f. Una compañera de la facultad.
g. Muy simpática.
h. ¿Las morenas? Mis hermanas.
i. A mi padre. Tenemos los mismos ojos.
j. Esa que está en la puerta.

1.	2.	3.	4.	5.	6.	7.	8.	9.	10.

5. Completa con los demostrativos adecuados.

> este / esta / estos / estas
>
> ese / esa /esos / esas
>
> aquel / aquella / aquellos / aquellas

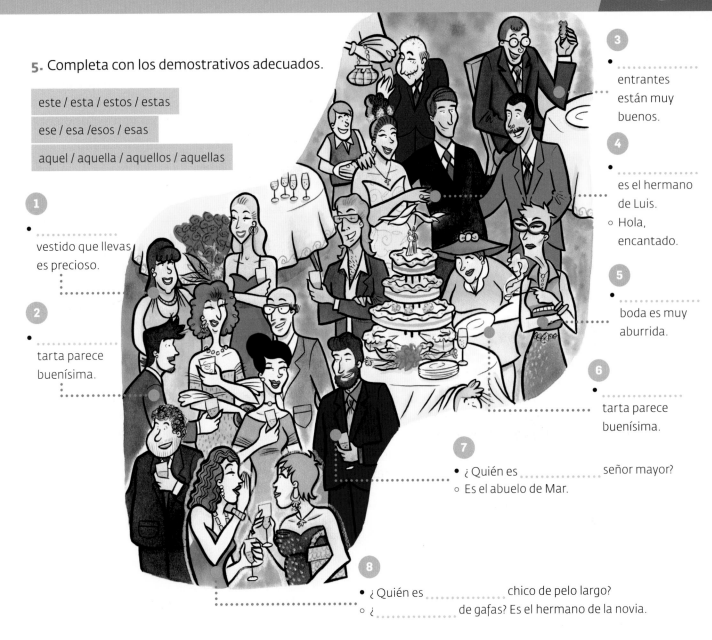

1
• .... vestido que llevas es precioso.

2
• .... tarta parece buenísima.

3
• .... entrantes están muy buenos.

4
• .... es el hermano de Luis.
  ○ Hola, encantado.

5
• .... boda es muy aburrida.

6
• .... tarta parece buenísima.

7
• ¿Quién es .... señor mayor?
  ○ Es el abuelo de Mar.

8
• ¿Quién es .... chico de pelo largo?
  ○ ¿ .... de gafas? Es el hermano de la novia.

6. 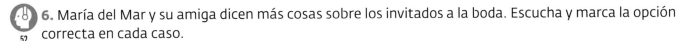 María del Mar y su amiga dicen más cosas sobre los invitados a la boda. Escucha y marca la opción correcta en cada caso.

52

1. Ricardo, su compañero de trabajo...
a. está separado.
b. está casado.
c. tiene pareja.

2. Ricardo y Aurora...
a. se llevan bien.
b. se llevan mal.
c. son pareja.

3. Leonor, la tía de María del Mar...
a. tiene marido, pero no ha podido ir a la boda.
b. está divorciada y no sale con nadie.
c. está divorciada y sale con alguien.

4. Juan José, el primo de María del Mar...
a. se parece mucho al novio.
b. se parece mucho al abuelo de María del Mar.
c. parece muy clásico.

7. Elige la opción correcta.

1. Elena y Julia tienen el pelo ....
a. rubio   **b.** rubia   **c.** rubios   **d.** rubias

2. Elena y Julia son ....
a. rubio   **b.** rubia   **c.** rubios   **d.** rubias

3. Ana tiene los ojos muy ....
a. negro   **b.** negra   **c.** negros   **d.** negras

4. Ana tiene el pelo ....
a. negro   **b.** negra   **c.** negros   **d.** negras

5. Víctor tiene la piel muy ....
a. blanco   **b.** blanca   **c.** blancos   **d.** blancas

6. Víctor es muy ...., ¿no?
a. blanco   **b.** blanca   **c.** blancos   **d.** blancas

8. Vas a encontrarte con alguien que nunca te ha visto. Escríbele para explicarle cómo eres.

9. Nuria, una chica de Barcelona, se ha ido a estudiar a Madrid. Lee el correo que le escribe a un amigo y escribe el nombre de cada uno de los personajes en su lugar correspondiente.

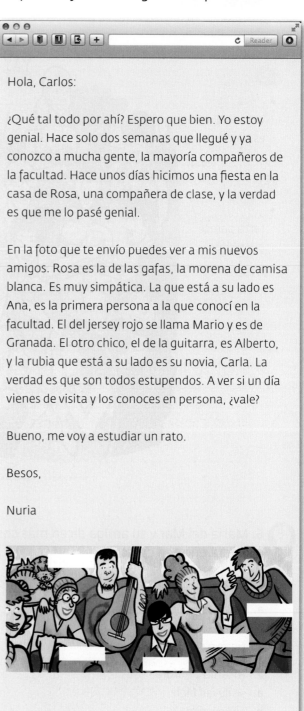

Hola, Carlos:

¿Qué tal todo por ahí? Espero que bien. Yo estoy genial. Hace solo dos semanas que llegué y ya conozco a mucha gente, la mayoría compañeros de la facultad. Hace unos días hicimos una fiesta en la casa de Rosa, una compañera de clase, y la verdad es que me lo pasé genial.

En la foto que te envío puedes ver a mis nuevos amigos. Rosa es la de las gafas, la morena de camisa blanca. Es muy simpática. La que está a su lado es Ana, es la primera persona a la que conocí en la facultad. El del jersey rojo se llama Mario y es de Granada. El otro chico, el de la guitarra, es Alberto, y la rubia que está a su lado es su novia, Carla. La verdad es que son todos estupendos. A ver si un día vienes de visita y los conoces en persona, ¿vale?

Bueno, me voy a estudiar un rato.

Besos,

Nuria

10. Completa estas conversaciones con las siguientes expresiones.

1.

| el de | el que | el |

- ¿Quién es ese chico tan guapo?
- ○ ¿Cuál? ¿................... la camiseta roja?
- No, hombre, no, ... está al lado.
- ○ Ah, ¿................... moreno? Ese es Martín, un amigo mío.

2.

| los de | los que | los |

- ¿Esos son tus hijos?
- ○ No, esos son .... mi hermana, mis sobrinos. Mis hijos son .... están al lado.
- Ah, ¿................... pequeños?
- ○ Sí, es que tienen 4 y 5 años.

3.

| la que | la de | la |

- ¿Has visto a la nueva novia de Javi?
- ○ ¿................... ha conocido en clase de danza?
- No, esa es una amiga. Su novia es la que vino con él a la fiesta de Juan.
- ○ ¿................... divorciada? ¿................... pelo rizado?
- Ay, no sé, una chica alta...

11. Escribe el nombre de personas que conoces con estas características.

Me llevo muy bien con él/ella: ....

Lleva gafas: ....

Es rubio/-a: ....

Es muy alto/-a: ....

Tiene el pelo rizado: ....

Es pelirrojo/-a: ....

Tiene unos ojos muy bonitos: ....

Es muy guapo/-a: ....

SONIDOS Y LETRAS

12. Escucha estas frases y marca cuál te parece que es la intención del hablante.

53

	INFORMAR	PREGUNTAR ALGO O PEDIR UNA CONFIRMACIÓN
1. ....el que está al lado del novio....		
2. ....es ese rubio de las gafas de sol....		
3. ....la del pelo corto....		
4. ....no es muy guapo, no....		
5. ....se parece a su madre....		
6. ....no me parezco a mi abuelo, no....		
7. ....como su padre, no....		
8. ....se lleva muy bien con Fede....		
9. ....no, azules, no....		

13. Escucha de nuevo las frases y coloca los signos de puntuación necesarios.

LÉXICO

14. Completa la conversación con los verbos **parecer** y **parecerse a** en la forma correcta.

1. Dicen que .... mi padre; los dos somos muy morenos y tenemos los ojos verdes.

2. Irene .... una chica muy optimista. Siempre ve el lado positivo de las cosas, ¿no?

3. Tú .... mucho a Silvia, ¿no? Y no solo físicamente, en la forma de hablar también.

4. Luisa .... a su madre, en cambio, su hermano Rubén es idéntico al padre.

5. No conozco muy bien a Ana, pero .... muy alegre y muy inteligente.

15. ¿**Llevar** o **llevarse**? Elige la opción correcta.

1. El que .... el pelo largo es Toni, ¿verdad?
a. lleva
b. se lleva

2. Julia siempre .... un gorro en la cabeza.
a. lleva
b. se lleva

3. Héctor .... muy bien con Dani.
a. lleva
b. se lleva

4. .... muy bien con la hermana de mi novio, tenemos muchas cosas en común.
a. llevo
b. me llevo

5. Diego y yo .... barba, pero no nos parecemos.
a. llevamos
b. nos llevamos

16. Forma combinaciones posibles con los elementos de las dos columnas. Puede haber varias posibilidades.

tener ■	■ alto
llevar ■	■ bien con todo el mundo
ser ■	■ pareja
parecer ■	■ tímida
parecerse ■	■ un vestido rojo
llevarse ■	■ soltero
estar ■	■ simpático
	■ a su madre
	■ rubia
	■ divorciada
	■ el pelo largo
	■ los ojos grandes
	■ a un famoso

17. Completa las frases con los nombres de las relaciones de parentesco.

1. El hijo de mi tío es mi ....

2. El hijo de tus padres es tu ....

3. Los padres de nuestra madre son nuestros ....

4. El marido de su tía es su ....

5. Las hijas de mi hermano son mis ....

6. La hermana de mi madre es mi ....

18. Fíjate en Manuel, Alicia, Toni y Reme. ¿Qué ropa lleva cada uno? Márcalo en el cuadro.

MANUEL   ALICIA   TONI   REME

	M	A	T	R
Una gorra				
Una chaqueta				
Unos pantalones				
Una camiseta				
Una blusa				
Unos zapatos				
Unas sandalias				
Unas botas				
Unas zapatillas de deporte				
Un sombrero				
Un reloj				
Un jersey				
Unas gafas de sol				
Un vestido				
Una falda				
Unos pendientes				
Un bolso				
Unas medias				

19. Completa el cuadro con palabras y expresiones de la unidad.

DESCRIPCIÓN FÍSICA	RELACIONES PERSONALES
pelo rubio	mi tío

20. Mi vocabulario. Anota las palabras de la unidad que quieres recordar.

HOGAR, DULCE HOGAR

1. Busca en un portal inmobiliario de tu país dos viviendas que te gustan. Escribe dónde están, cuál es el precio y cuáles son sus características principales.

Vivienda 1

....

....

....

....

Vivienda 2

....

....

....

....

2. Imagina que quieres compartir tu piso. Tienes que describirlo para colgar un anuncio en el tablón de la escuela.

¡Comparto piso!

3. Observa estas dos fotografías y describe los muebles y los objetos que aparecen numerados.

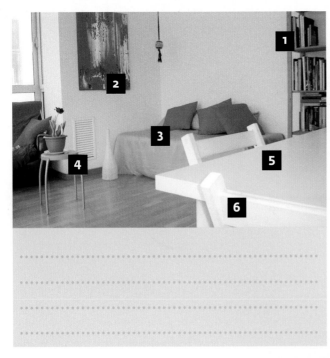

....

....

....

....

4. Escucha la descripción de este salón y escribe las tres cosas que no se corresponden con el dibujo.

54

1) La lámpara no está delante del frigorífico, está...

5. Estas son las casas de Pepe y Julio. Escribe al menos cinco frases comparándolas.

JULIO
- Ático de 100 m²
- 700 euros al mes
- 4 habitaciones
- terraza de 20 m²
- 2 balcones
- 2 baños
- a 3 minutos del centro

PEPE
- Piso de 90 m²
- 500 euros al mes
- 3 habitaciones
- terraza de 25 m²
- 2 balcones
- 1 baño
- a 10 minutos del centro

La casa de Pepe tiene menos habitaciones que la de Julio.

6. Lee las siguientes frases y reacciona de acuerdo con tu realidad.

1. En mi barrio hay muchos parques.
(Pues) en el mío no hay ninguno.

2. Mi casa tiene ocho habitaciones.

3. Mi habitación es muy ruidosa, porque da a una calle con mucho tráfico.

4. Mis padres viven muy cerca de mi casa.

5. En mi país alquilar un piso es muy caro.

6. En mi país casi todo el mundo compra una vivienda, no alquila.

7. Mi ciudad tiene más de un millón de habitantes.

7. Lee la siguiente lista. Son aspectos que se suelen considerar a la hora de elegir una vivienda. ¿Puedes añadir tres cosas más a la lista?

FACTORES PARA ELEGIR UNA VIVIENDA

Tipo de edificio
Decoración
Número de habitaciones
Tamaño del salón

Tamaño del baño
Tamaño de la cocina
Luz
Localización

....
....
....

8. ¿Qué aspectos de una vivienda son más importantes para ti? Escríbelo.

Para mí, el tamaño del baño es más importante que el tamaño de la cocina porque vivo solo y no cocino mucho...

9. Lee el siguiente texto. ¿Crees que tu casa sigue las normas del Feng Shui? Escribe los aspectos en los que sigue la teoría y aquellos en los que no.

Feng Shui

Es esencial estar en armonía con nuestro espacio para sentirnos bien en nuestros hogares y lugares de trabajo. Con las teorías y técnicas del Feng Shui, podemos organizar nuestro entorno, crear un ambiente equilibrado e influir positivamente en todos los aspectos de nuestra vida. Por eso, a la hora de decorar nuestras habitaciones, es importante tener en cuenta la orientación, las fuentes de energía y la ubicación de los muebles.

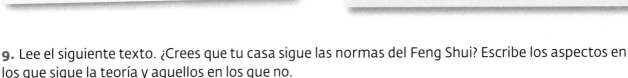

Consejos prácticos del Feng Shui

1. En el salón, la puerta y la ventana deben estar en paredes perpendiculares. Así, la energía que entra por la puerta puede circular por toda la habitación y salir por la ventana. Los sillones y los sofás deben estar al lado de una pared y lejos de las puertas y las ventanas.

2. El comedor no debe estar cerca de una corriente de energía; eso es malo para la digestión. Es bueno poner sobre la mesa flores y velas, porque atraen energía positiva.

3. La cocina no debe estar cerca de un baño. No es conveniente guardar los artículos de limpieza en la cocina, ya que pueden afectar a la energía de los alimentos. Los tonos amarillos pálidos van muy bien en la cocina porque dan una sensación de limpieza.

4. El baño no debe estar delante de la puerta principal para evitar el choque de energía. Si el baño tiene ventana, esta no debe estar sobre el lavabo.

5. Las habitaciones deben ser tranquilas. La cama debe estar orientada hacia el norte y no debe estar debajo de una ventana porque la corriente puede afectar al cuerpo. No es bueno tener plantas ni flores en la habitación. Tampoco aparatos eléctricos que pueden afectar el sueño. Los espejos deben estar dentro de los armarios porque el reflejo que proyectan puede crear energía negativa.

6. En los pasillos no debe haber muebles, ya que bloquean el paso de la energía.

MI CASA SIGUE LAS NORMAS DEL FENG SHUI PORQUE...	MI CASA NO SIGUE LAS NORMAS DEL FENG SHUI PORQUE...

SONIDOS Y LETRAS

10. Clasifica estas palabras según el sonido de las letras marcadas en negrita. Luego escucha y comprueba.

55

- al**qu**ilar
- **c**uadrado
- tu**y**o
- ha**y**
- **c**ocina
- habita**c**ión
- par**qu**é
- bal**c**ón
- terra**z**a
- aco**g**edor
- **c**lásico
- **g**usto
- **c**entro
- si**ll**a
- su**y**o
- co**j**ín

- **c**uadro
- afue**r**a
- **r**uidoso
- ba**r**ata
- pe**qu**eña
- **g**astar
- a**y**uda
- **j**ardín
- ima**g**inar
- espe**j**o
- **g**ente
- made**r**a
- ho**g**ar
- terra**z**a
- os**c**uro
- **r**evista

COMO **C**ASA	COMO **Y**O	COMO PE**RR**O	COMO **J**AMÓN

COMO **C**INE	COMO I**S**LA	COMO PE**R**O	COMO **G**ATO

LÉXICO

11. Haz una lista de los tipos de casas más habituales en tu ciudad, región o país.
Escribe qué tipo de personas suelen vivir en ellas.

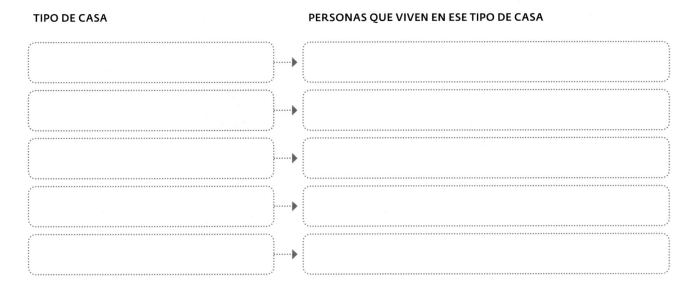

TIPO DE CASA	PERSONAS QUE VIVEN EN ESE TIPO DE CASA

12. ¿En qué parte de la casa están normalmente estas cosas? Escríbelo. ¿Puedes añadir más cosas? Busca en el diccionario o en internet las palabras que no conozcas.

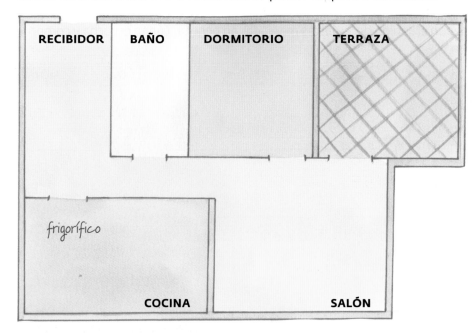

RECIBIDOR   BAÑO   DORMITORIO   TERRAZA

frigorífico

COCINA   SALÓN

1. plantas
2. cafetera
3. sillón
4. lámpara
5. mesa
6. frigorífico
7. estantería
8. bañera
9. equipo de música
10. mesilla de noche
11. lavadora
12. armario
13. cuadro
14. espejo
15. horno
16. televisión

13. Clasifica las palabras anteriores en masculinas o femeninas. Añade el artículo indeterminado.

MASCULINO	FEMENINO
un sillón	una lámpara

14. ¿De qué material son estos muebles?

de madera	de tela	de cristal
de piel	de metal	de plástico

Mesa ....   Mesa ....

Sofá ....   Sofá ....

Silla ....   Silla ....

15. Escribe las características de tu casa ideal.

Una casa...

con ....

sin ....

de ....

para ....

16. Completa con palabras o expresiones que recuerdas de esta unidad.

MUEBLES

MATERIALES

ACTIVIDADES QUE HACES EN CASA

COSAS IMPORTANTES CUANDO BUSCAS UN PISO

HABITACIONES

17. Busca en la unidad todas las palabras y expresiones que podemos usar con estos verbos y clasifícalas.

ES...	ESTÁ...	TIENE...	DA A...
acogedora	bien comunicada	una cocina americana	una calle con mucho tráfico

18. Mi vocabulario. Anota las palabras de la unidad que quieres recordar.

¿CÓMO VA TODO?

1. Escribe las formas de los verbos que faltan.

	TÚ	VOSOTROS	USTED	USTEDES
SABER	sabes	....	....	....
TENER	....	tenéis	....	....
COMPRAR	....	....	compra	....
VIVIR	vives	....	....	....
ESTAR	....	....	....	están
IR	....	vais	....	....
SER	....	....	es	....
HACER	haces	....	....	....
QUERER	....	....	....	quieren
COMPRENDER	....	comprendéis	....	....

2. Escucha estas frases. ¿Las personas se tratan de **tú** o de **usted**? Escribe en qué palabras lo notas.

56

	TÚ	USTED	PALABRA
1.		X	desea
2.			....
3.			....
4.			....
5.			....
6.			....

3. ¿A qué infinitivos corresponden estos gerundios irregulares?

GERUNDIO		INFINITIVO
oyendo	→	....
cayendo	→	....
leyendo	→	....
construyendo	→	....
durmiendo	→	....
diciendo	→	....
vistiéndose	→	....
sintiendo	→	....
yendo	→	....
viniendo	→	....

4. Esta es una clase un poco especial. ¿Qué está haciendo cada persona? Escríbelo.

1. Vanessa *se está pintando las uñas.* ....
2. Mateo ....
3. Sam ....
4. Julia ....
5. Susan ....

6. Hans ....
7. John ....
8. Cristina ....
9. Yuri ....
10. La profesora ....

5. Escríbele una postal a un amigo que no ves desde hace algunas semanas y cuéntale qué estás haciendo estos días.

Querido/-a .... :

6. ¿Qué cosas estás haciendo en este curso de español? Escribe cinco más.

> **1.** Estamos practicando mucho la pronunciación.
>
> **2.** ....
>
> **3.** ....
>
> **4.** ....
>
> **5.** ....
>
> **6.** ....

7. Completa estas frases.

dejarme	te importa si	me pone	puedo

me dejas	tienes

1. ¡Disculpe! ¿ .... un cortado, por favor?

2. ¿ .... pongo algo de música?

3. Perdona, ¿puedes .... los apuntes de ayer?

4. Oye, ¿ .... un momento tu moto? Es que...

5. ¿ .... fuego?

6. ¿ .... usar este ordenador?

8. ¿Dónde crees que están las personas que dicen las frases de la actividad anterior?

1. ....   4. ....

2. ....   5. ....

3. ....   6. ....

9. ¿Cómo le pedirías estas cosas a un compañero de clase? Clasifícalas en la columna correspondiente.

- un poco de agua
- la goma de borrar
- un caramelo
- tu diccionario
- tu chaqueta
- fuego
- un bolígrafo
- cinco euros

¿ME DEJAS...?	¿ME DAS...?

10. Responde a estas peticiones de un amigo. Piensa una respuesta afirmativa y otra negativa con una excusa.

1. ¿Te importa si abro la ventana? ¡Hace un calor!

➕ ....

➖ ....

2. ¿Puedo usar tu teléfono un momento? Es una llamada muy corta.

➕ ....

➖ ....

3. ¿Me dejas tu diccionario?

➕ ....

➖ ....

4. ¿Tienes un euro?

➕ ....

➖ ....

5. ¿Puedo ponerme tu chaqueta? Tengo un frío...

+ ....

− ....

6. ¡Hola! Soy Carlos. Me abres y subo, ¿vale?

+ ....

− ....

7. ¡Me encantan estos caramelos! ¿Me das uno?

+ ....

− ....

8. ¿Te importa si me como el último chicle? Luego compro más, ¿vale?

+ ....

− ....

11. Lee este texto sobre las diferencias culturales relacionadas con la cortesía. Luego, marca si en tu cultura se hacen normalmente las cosas que aparecen en la tabla. Puedes comentar cada uno de los puntos en tu cuaderno.

La cortesía

Aunque la cortesía es un elemento presente en todas las culturas del mundo, cuando salimos de nuestro país nos damos cuenta de las diferencias que existen en este aspecto. Vamos a ver algunos ejemplos.

En España se da menos las gracias que en Estados Unidos. En un bar, por ejemplo, un español no suele dar las gracias al camarero cuando este le sirve una consumición. En Estados Unidos, en cambio, es normal acabar una conversación telefónica diciendo "Gracias por llamar".

Otro ejemplo: el revisor de los ferrocarriles en Holanda intercambia cada día miles de "gracias" con los viajeros al recibir y entregar los billetes. En España, en cambio, los revisores suelen ahorrárselo por completo.

Y algo muy curioso: algunas lenguas, como el botswana (lengua indígena del Sur de África), no tienen fórmulas lingüísticas para agradecer. Lo hacen mediante gestos.

Este tipo de diferencias puede dar lugar a malentendidos de tipo cultural. El comportamiento de los españoles, por ejemplo, puede parecer descortés a holandeses o a americanos, mientras que los españoles pueden pensar que los holandeses y los americanos son, en algunos casos, exageradamente corteses.

Adiós, ¡gracias por llamar!

	SÍ	NO
Cuando un camarero nos sirve una bebida, damos las gracias.		
Cuando alguien nos llama por teléfono, le damos las gracias al acabar la conversación.		
Los revisores de tren piden los billetes por favor y dan las gracias cuando los devuelven.		
Cuando una madre le sirve la comida a su hijo, este le da las gracias.		
Cuando alguien viene a trabajar a nuestra casa (un canguro, alguien que limpia, etc.) le damos las gracias cuando se va.		

12. Esta es la pirámide de la formalidad. En cada nivel, escribe dos frases para expresar lo siguiente:

1. Pedir un favor; por ejemplo, pedir una bicicleta para hacer una excursión.

2. Pedir permiso; por ejemplo, para quitarte los zapatos.

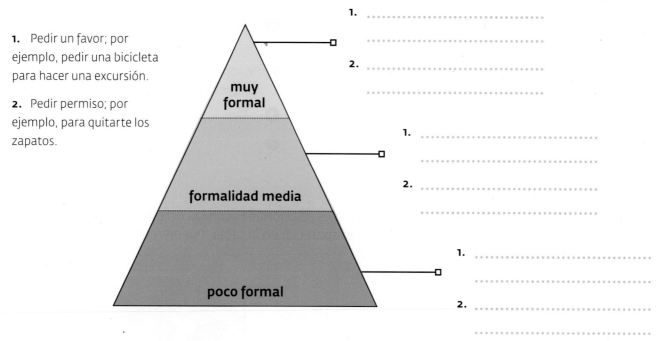

1. ....

....

2. ....

....

1. ....

....

2. ....

....

1. ....

....

2. ....

....

SONIDOS Y LETRAS

El sonido de p, t y k

En alemán o inglés, por ejemplo, los sonidos **p**, **t** y **k** se pronuncian de manera aspirada, es decir, con un soplo de aire. En español no sucede lo mismo. Para practicar, coloca la palma de la mano a unos centímetros de la boca y pronuncia las palabras **papá**, **tarta** y **color**. Si notas el aire en la palma, relaja la pronunciación.

13. Escucha estas palabras y marca si las pronuncia Susan o Susana.

57

	SUSAN (NUEVA YORK)	SUSANA (VALENCIA)
papá		
cuánto		
tiempo		
quedamos		
pedir		
camarero		
fantástico		
tener		
contacto		
puerta		

14. Lee estos trabalenguas en voz alta y practica su pronunciación. Luego escucha y comprueba.

58

Pepe Pecas pica papas con un pico. Con un pico pica papas Pepe Pecas.

Si verte fuera la muerte y no verte tener vida, prefiero la muerte y verte, que no verte y tener vida.

El que poco coco come, poco coco compra; como yo poco coco como, poco coco compro.

LÉXICO

15. Con estos elementos forma expresiones para saludarse y despedirse.

hasta	luego	nos	vemos	cómo
tal	qué	va	todo	mañana
qué	cómo	estás	hasta

....

....

....

....

....

....

16. Clasifica las expresiones de la actividad anterior en saludos o despedidas.

SALUDOS	DESPEDIDAS

17. Mi vocabulario. Anota las palabras de la unidad que quieres recordar.

GUÍA DEL OCIO

1. Mira la información de la revista *Qué hacer hoy* de la página 72. Busca al menos un lugar...

1. que está abierto los lunes a las 22 h: ....

2. que tiene precios especiales para estudiantes: ....

3. que los sábados abre a partir de las 21 h: ....

4. que tiene horario especial los viernes y sábados: ....

5. donde hay música en directo: ....

6. que está cerrado los domingos: ....

7. donde poder ver una película en sesión matinal: ....

8. donde puedes ver obras de Picasso: ....

9. que ofrece dos exposiciones diferentes: ....

2. Pon uno de estos títulos a cada párrafo del siguiente artículo sobre Sevilla.

| Lo imprescindible | Tapas | Dónde comer |
| Excursiones | Dónde salir | Flamenco |

[....]

El casco antiguo de Sevilla es el más grande de Europa. Es imprescindible visitar la catedral, la mayor construcción religiosa de España; subir a la Giralda; perderse por el barrio de Santa Cruz; observar la torre del Oro; dar un paseo por la calle Sierpes, el mejor lugar para ir de compras en Sevilla; y recorrer el parque de María Luisa y la Plaza de España. No se puede dejar Sevilla sin cruzar el río y pasear por Triana. Hay que visitar también el Museo de Bellas Artes, con las obras más importantes de Zurbarán y de Murillo.

[....]

Para comer tapas, es recomendable acercarse al centro de Sevilla hacia el mediodía. Destacan El rinconcillo, la taberna más antigua de la ciudad; La bodeguita Romero, famosa por su exquisita "pringá" (tapa a base de la carne, el tocino, la morcilla y el chorizo del cocido); y La alicantina, al lado de la hermosa Iglesia del Salvador. En Triana podemos comer tapas en Casa Cuesta, La blanca paloma o Casa Manolo.

Recomendamos acabar el día en La Alameda, un barrio situado cerca del centro que se está convirtiendo en la zona más chic de la nueva Sevilla.

[ ]

Poncio (Ximénez de Enciso, 33). Cocina de autor.
Kiosco de las flores (Betis, s/n). El templo del "pescaíto frito". Todo un clásico.
Casablanca (Adolfo Rodríguez Jurado, 12). Famoso mundialmente por sus tapas.
Casa Robles (Álvarez Quintero, 58). Uno de los escenarios de lujo de la vida social sevillana.

Latino (Plaza de Chapina). Una terraza junto al río con marcha hasta el amanecer.
Chile (Paseo de las Delicias, s/n). Punto de encuentro de universitarios y treintañeros.
Picalagartos (Hernando Colón, 7). Un glamuroso café, ideal para los visitantes más sofisticados.
Catedral (Cuesta del Rosario). Pequeño club con *techno* y *house* de calidad.

El tamboril (Plaza Santa Cruz, s/n). Flamenco en directo a partir de medianoche.
El palacio andaluz (Avda. M.ª Auxiliadora, 18). Espectáculo y cena. En pleno centro.

Crucero de 1 hora por el Guadalquivir. Visitas comentadas.
Córdoba. Salida a las 8 h y llegada a las 17 h. Visitas comentadas a la Mezquita, el Alcázar, la Sinagoga y Medina Al-Zhara.
Tarifa. Salida a las 7 h y llegada a las 19 h. Excursión para ver ballenas y delfines.
Doñana. Salida a las 8 h y llegada a las 20:30 h. Parque natural situado entre las provincias de Huelva, Sevilla y Cádiz. Las actividades en la zona incluyen paseos a caballo, tenis, cicloturismo y observación de aves.

3. Imagina que vas a pasar un día en Sevilla. Consulta la información de la actividad anterior y, en tu cuaderno, planifica tu día con las actividades que más te interesan.

4. Busca información en internet y elabora una pequeña guía de otra ciudad del mundo hispano.

5. Escribe el participio de estos verbos.

1. volver ....
2. resolver ....
3. ver ....
4. escribir ....
5. hacer ....

6. freír ....
7. abrir ....
8. cubrir ....
9. poner ....
10. decir ....

6. Aquí tienes una serie de objetos. Imagina qué ha hecho con ellos hoy Pedro y escribe frases.

1. Ha tomado un refresco.
2. Ha ~~ido~~ viciado por metro a Córdoba.
3. Ha hablado por teléfono.
4. Ha comido ~~espagueti~~ espaguetis.
5. Ha bebido café.
6. Ha leído un libro. O Ha escrito en el diario.
7. Ha escrito una letra. Ha echado un correo.
8. Ha tomado una foto.
9. Ha dado un regalo. (abierto)
10. Ha comprado los billetes para una película.

7. Escribe cinco cosas interesantes que has hecho este año.

1. ....
2. ....
3. ....
4. ....
5. ....

8. Imagina que hace un mes una pitonisa pronosticó estos sucesos en tu vida profesional y personal. ¿Se han cumplido?

> Te veo con un micrófono en la mano... No se ve bien qué haces... Hay público... ¿Es una conferencia? ¿O estás cantando?

> Te veo... hay preocupación en tu mirada; son problemas de trabajo...

> Veo aviones, maleta, hoteles... Veo una playa...

> Veo que aparece una persona nueva en tu vida.

> Veo una consulta de un médico. No sé de qué se trata, pero se ve que no es grave...

> Ahora veo mucho humo... algo se quema... cerca de tu casa.

> Te espera un mes muy activo y muy especial.

1. La pitonisa (no) ha acertado porque ....
....
2. ....
....
3. ....
....
4. ....
....
5. ....

6. ....
....
7. ....
....

9. Aquí tienes una serie de titulares de periódico. Escribe qué ha pasado en cada caso.

1 **Nueva subida del precio del petróleo**

Arturo Pérez Reverte vuelve a sorprendernos: su última novela ya es un éxito 2

3 **Barcelona 0 - Real Madrid 3**

TEMPORAL EN EL NORTE: dos desaparecidos y graves daños materiales 4

5 **Dimisión inesperada del Ministro del Interior.**

Las promesas del Gobierno a los sindicatos no contentan a la mayoría de los trabajadores 6

1. El precio del petróleo ha subido otra vez.
2. ....
....
3. ....
....
4. ....
....
5. ....
....
6. ....

10. Te ha tocado un viaje de 15 días en una paradisíaca isla caribeña. ¿Qué cosas vas a hacer allí? Escríbelo.

Voy a tomar el sol todos los días.

11. Vuelve a escuchar a Andrea hablando de sus planes en Valencia y completa el texto.

59

■ .... la ciudad a fondo y aún no domino mucho el español, así que .... a clases diarias de español.

■ .... mejor la historia de España y tomar algunas clases optativas de historia.

■ .... por ahí y conocer mucha gente.

12. Aquí tienes el diario de viaje de Carmen en Argentina. Subraya las experiencias (lo que ha hecho) y los planes (lo que va a hacer). Después, escríbelo en los cuadros.

Jueves 14 de mayo. Buenos Aires

Hace una semana que estamos en Argentina y me siento como en casa. No solo por el idioma, claro. La gente es muy agradable. Esta semana he comido más carne que en toda mi vida y hoy he probado la cerveza argentina Quilmes; no está mal. Ya hemos visto lo que debe ver un turista aquí: la plaza de Mayo, la Casa Rosada, el barrio de San Telmo y el Caminito, en el barrio de La Boca. Esta mañana he ido al cementerio de La Chacarita y he visitado la tumba de Carlos Gardel. Esta noche vamos a ver un espectáculo de tango en una tanguería de San Telmo. Dentro de un par de días nos vamos a ir a Ushuaia. ¡Por fin voy a ver el fin del mundo!

Sábado 16 de mayo. Ushuaia

¡Ya estamos aquí! La naturaleza es fascinante. Tan verde, tan pura... Hemos hecho una excursión en barco y he visto montones de focas (¡¡en vivo y en directo!!). Como es verano, no hay pingüinos todavía. Esto es tan bonito que vamos a quedarnos un par de días más aquí y después vamos a ir en avión a Río Gallegos para ver el Perito Moreno. De allí vamos a hacer una excursión a Península Valdés para ver las ballenas. He recibido un correo electrónico de Cecilia, que está también por aquí de vacaciones. Mañana nos vamos a ver y nos va a presentar a su novio argentino.

EXPERIENCIAS
Ha comido mucha carne.

PLANES
Va a ver un espectáculo de tango.

SONIDOS Y LETRAS

13. Un mismo sonido se puede escribir con letras diferentes. Escucha estas palabras y clasifícalas según su sonido: /k/ o /θ/.

discote**c**a	**c**lásico	o**c**io
copa	**k**árate	Vene**z**uela
ex**c**ursión	Nueva Yor**k**	Igua**z**ú
Cuba	karao**k**e	**z**oo
có**c**tel	anora**k**	tra**z**o
cerrado	**qu**edar	die**z**
cono**c**er	**qu**é	ve**z**
ciudad	**qu**ien	ve**c**es
cine	al**qu**ilar	naturale**z**a
cenar	dire**c**to	

/k/	/θ/

14. Fíjate en la clasificación de las palabras de la actividad anterior y completa ahora la regla ortográfica.

sonido /k/

Se escribe **c** delante de **a**, ... y ....
También se escribe **c** en posición final de sílaba.
Se escribe **qu** delante de las vocales .... e
....
Se escribe .... en algunas palabras procedentes de otras lenguas.

sonido /θ/

Se escribe **z** delante de ...., **o** y
También se escribe **z** en posición final de sílaba y en posición final de ....
Se escribe **c** delante de las vocales .... e
....

LÉXICO

15. Escribe los horarios habituales de estos establecimientos en tu país.

1. banco ....
2. escuela ....
3. discoteca ....
4. restaurante lujoso ....
5. bar de copas ....
6. oficina de correos ....
7. centro médico ....
8. tienda de ropa ....
9. restaurante de comida rápida ....
10. supermercado ....
11. frutería ....
12. biblioteca ....
13. gimnasio ....
14. oficinas del ayuntamiento ....

16. Escribe palabras que conoces relacionadas con estos temas. Puedes buscarlas en la unidad.

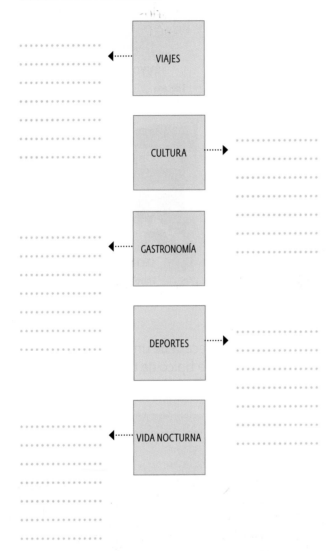

VIAJES

CULTURA

GASTRONOMÍA

DEPORTES

VIDA NOCTURNA

17. ¿Qué cosas haces cuando vas de viaje? Escribe en tu cuaderno tus cinco preferidas.

1. *Probar la comida típica del lugar.*
2.
3.
4.
5.

18. Escribe las actividades de ocio favoritas de personas que conoces.

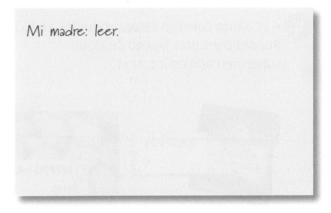

Mi madre: leer.

19. ¿A qué lugares corresponden estas definiciones? Las palabras salen en la unidad.

1. Terreno con plantas y árboles que se usa como lugar de recreo.
2. Lugar en el que se exponen objetos de valor artístico, científico o cultural.
3. Lugar donde se venden cosas.
4. Establecimiento sencillo en el que se sirven comidas y bebidas.

20. Mi vocabulario. Anota las palabras de la unidad que quieres recordar.

NO COMO CARNE

1. ¿Cuánto cuestan estos productos en tu país? Puedes consultar la web de algún supermercado en internet.

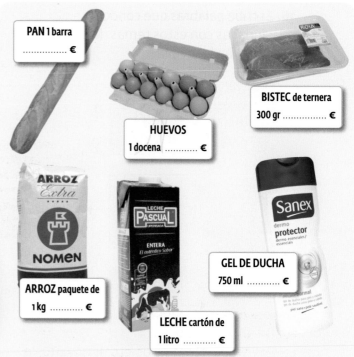

PAN 1 barra
.... €

HUEVOS
1 docena .... €

BISTEC de ternera
300 gr .... €

QUESO 250 g
.... €

PATATAS bolsa
de 2 kg .... €

TOMATES
1 kg .... €

MANZANAS
1 kg .... €

ARROZ paquete de
1 kg .... €

LECHE cartón de
1 litro .... €

GEL DE DUCHA
750 ml .... €

2. Tienes que hacer la compra para un día y vas al supermercado de la página 84, pero solo tienes 10 euros. ¿Qué vas a comer y qué vas a comprar? Escribe la lista de la compra.

MIS COMIDAS DE HOY	MI LISTA DE LA COMPRA
Comida:	
Cena:	

3. ¿Sabes la receta de un plato fácil de preparar? Puede ser uno típico de tu país. Escríbela en tu cuaderno.

Ingredientes:

Modo de preparación:

4. ¿Qué hay que hacer para llevar una vida sana? Escribe cinco consejos que consideras importantes.

1. Hay que *hacer ejercicio físico* ....
2. Tienes que ....
3. Tienes que ....
4. Hay que ....
5. Tienes que ....
6. Hay que ....

5. ¿Quieres conocer a un cocinero famoso en España? Lee este pequeño texto.

Karlos Arguiñano es un cocinero muy conocido en España y en Argentina gracias a sus programas de televisión. El cocinero vasco, que tiene su restaurante en Zarautz (Guipúzcoa), lleva en el mundo de la cocina desde los 17 años, pero su enorme éxito televisivo le ha dado la oportunidad de dedicarse a otras actividades, como escribir libros, abrir su propia escuela de cocina o incluso participar como actor en alguna que otra película. Con una manera de comunicarse inconfundible, Arguiñano ha conquistado a todo tipo de público y ha creado un nuevo estilo en la manera de hacer programas de cocina. Su fórmula consiste en explicar paso a paso platos sencillos con muchísima simpatía y naturalidad: cuenta chistes, anécdotas, canta... Igual que cualquiera que se encuentra en su casa cocinando tranquilamente.

6. Aquí tienes algunos trucos del famoso cocinero de la actividad anterior. Complétalos con los pronombres de objeto directo (**lo**, **la**, **los**, **las**) que faltan.

1. La sopa, _la_ prepara con caldo de pollo.

2. La lechuga, _la_ limpia bien y _la_ mantiene sin aliñar hasta el momento de servirla.

3. Los champiñones, _los_ prepara con cebolla, ajo y vino tinto.

4. El atún, _lo_ acompaña con mayonesa, cebolla picada y tomate.

5. Las patatas, _las_ lava muy bien, _las_ envuelve en papel de aluminio y _las_ deja en el horno 30 minutos.

6. Los plátanos _los_ utiliza para preparar macedonias, batidos e incluso licores.

7. La paella, _la_ cocina con marisco y pollo, y con un caldo muy concentrado.

8. Las fresas, _las_ guarda en la nevera. Así duran de 5 a 6 días.

9. El café, _lo_ guarda en un recipiente de cristal o de porcelana y _lo_ protege de la luz.

10. Las botellas de vino tinto, _las_ destapa media hora antes de su consumo para ventilarlas un poco.

7. Escribe un pequeño texto sobre un cocinero famoso en tu país. Busca información en internet.

8. Rebeca acaba de llegar del supermercado. Identifica los productos que ha comprado. Luego, escribe frases diciendo dónde ha puesto las cosas: en la nevera o en el armario.

1. La sal, la ha guardado en el armario.

2. Los huevos, los ha metido en la nevera.

3. ·····································

4. ·····································

5. ·····································

6. ·····································

7. ·····································

8. ·····································

9. ·····································

10. ·····································

11. ·····································

12. ·····································

13. ·····································

14. ·····································

15. ·····································

16. ·····································

17. ·····································

9. Relaciona las preguntas con las respuestas.

1. ¿Dónde están las naranjas?
2. ¿Cómo prefieres las fresas?
3. ¿Cómo haces la carne?
4. ¿Dónde compras el pollo?
5. ¿Cómo prefieres el salmón?
6. ¿Dónde está el jamón?
7. ¿Dónde compras los huevos?
8. ¿Cómo tomas el café?
9. ¡Qué galletas tan ricas!
10. No encuentro la sal.

a. Normalmente, a la plancha.
b. Siempre las como con nata.
c. Sin azúcar ni leche.
d. Los compro en el súper.
e. Lo compro en el súper.
f. Casi siempre lo como al vapor.
g. Las he puesto en la nevera.
h. Las he hecho yo.
i. La he dejado en el salón.
j. Lo he metido en el frigorífico.

1.	2.	3.	4.	5.	6.	7.	8.	9.	10.

10. Completa estas frases de una forma lógica.

1. Mauro es muy simpático, y, además, *ella es muy amable.*

2. Mauro no es muy simpático, pero *él es ~~trabaja~~ gracioso.*

3. La sopa no está buena, y, además, *huele mal.*

4. Esta sopa está buena, pero *es, está muy cara.*

5. Vivo en un sitio muy bonito, y, además, *tiene muchos restaurantes deliciosos.*

6. Vivo en un sitio muy bonito, pero *no tiene muchas escuelas buenas.*

7. Hace un trabajo muy interesante, pero *no funciona ~~trabaja~~ todo el tiempo completo.*

8. Hace un trabajo muy interesante, y, además, *es muy ~~barato~~. gana mucho ~~toca~~.*

9. Hace mucho deporte, y, además, *toma ~~mucho~~ instrumentos muchos.*

10. Hace mucho deporte, pero *tiene ~~hace~~ notas malas.*

11. Aquí tienes una entrevista publicada en una revista de cocina. ¿Puedes relacionar cada pregunta con su respuesta?

La compra de...
Alejandra Lapiedra

Nacida en Bilbao en 1976, esta licenciada en Ingeniería triunfa en la pequeña pantalla y está a punto de dar el salto al cine. A Alejandra Lapiedra le gusta saborear cada momento de su vida.

1. ¿Qué plato te apetece siempre?
2. Con la vida que llevas, ¿haces la compra?
3. ¿Dónde haces la compra?
4. ¿Qué suele haber en tu carro de la compra?
5. Tu alimento secreto en el frigorífico es...
6. ¿Qué ingrediente nunca falta en tu cocina? B
7. A media tarde, ¿pastel de nata o bocadillo de jamón?
8. ¿"Pecas" a menudo, gastronómicamente hablando?
9. ¿Cómo se relaja Alejandra Lapiedra?
10. Madre, esposa y profesional. ¿Cómo lo llevas?

a. Voy a un supermercado que tengo al lado de casa y también a las tiendas pequeñas de mi barrio.
b. El queso parmesano.
c. Me quedo con lo salado.
d. Pues la verdad es que sí. Todas las semanas.
e. Viendo la tele en el sofá de mi casa.
f. Constantemente, todos los días, soy débil...
g. Absolutamente de todo. Muchas veces no puedo resistirme y compro cosas que luego no como.
h. Superbien. Superestresada.
i. No puedo estar sin aceite de oliva y ajo.
j. Arroz a la cubana.

1.	2.	3.	4.	5.	6.	7.	8.	9.	10.
j	d	a	g	b	i	c	f	e	H

12. Contesta tú a las preguntas de la actividad anterior.

1 ....
2 ....
3 ....
4 ....
5 ....
6 ....
7 ....
8 ....
9 ....
10 ....

13. Las celebraciones son diferentes en cada país: bodas, cumpleaños... ¿Qué tipo de celebración te gusta más? ¿Cómo se celebra en tu país?

Mi celebración favorita
....
....
....
....
....
....
....

SONIDOS Y LETRAS

Para algunos hispanohablantes las consonantes **z** y **c** (delante de **e** e **i**) se pronuncian como una **s**. Esto pasa en los países hispanoamericanos, en las Islas Canarias y en algunas zonas del sur de España.
La **ll** y la **y** se pronuncian de manera muy distinta en algunos países del sur de América, como Argentina, Uruguay y Chile.

14. Escucha, compara la pronunciación de **c** y **z** y marca de dónde son las personas que hablan.
61

	VALLADOLID	BOGOTÁ
1. ¿Te apetece una cerveza en esta terraza?		
2. Hay que comprar arroz, cereales, manzanas y azúcar.		
3. No me gusta el chorizo, pero a veces lo como.		
4. El queso Idiazábal tiene denominación de origen.		
5. Necesito la receta para hacer el gazpacho.		

15. Haz lo mismo con la pronunciación de **y** y **ll**. ¿De dónde son las personas que hablan?
62

	BARCELONA	BUENOS AIRES
1. Yo voy a pedir pollo al ajillo.		
2. Siempre desayuno un yogur y galletitas.		
3. No me gusta nada la tortilla con cebolla.		
4. ¿Nos llevamos bocadillos a la playa?		

LÉXICO

16. Relaciona los verbos con las ilustraciones.

1. cocer	**2.** hacer a la plancha	**3.** pelar
4. calentar	**5.** asar	**6.** cortar	**7.** congelar
8. echar	**9.** lavar	**10.** batir	**11.** freír

17. Escribe en tu cuaderno qué se hace normalmente con estos productos.

las patatas	las naranjas	el arroz
el pescado	la carne	los huevos
el melón	la leche	la pasta

Las patatas se lavan y se pelan. Se pueden freír, se pueden asar, pero nunca se hacen a la plancha.

18. Relaciona. Puede haber varias opciones.

una barra
una lata
una docena
un paquete
un trozo
una tableta
una botella
un cartón
una caja
una bolsa

de café
de bombones
de vino
de queso
de huevos
de chocolate
de atún
de patatas fritas
de leche
de pan

19. ¿A qué alimento se refieren estas descripciones?

Es una fruta amarilla que se usa para condimentar ensaladas y para cocinar. También se puede poner en algunas bebidas, por ejemplo, en el té.

Es un condimento de color blanco que se pone en casi todas las comidas para darles más sabor. Casi siempre está en la mesa junto a la pimienta, el aceite y el vinagre.

Es una bebida alcohólica, normalmente de color dorado, que se toma fría y que tiene espuma. Se hace con cereales.

Es una fruta roja y pequeña. A veces se come con nata. También se usa para hacer mermelada, pasteles y helados.

20. Describe en tu cuaderno estos cuatro alimentos.

naranja   chocolate   champán   mayonesa

21. Escribe estas cantidades en letras.

1. 1/2 kg _medio kilo_

2. 78 kg

3. 33 cl

4. 355 g

5. 1/4 kg

6. 750 ml

7. 6 l

8. 1/2 l

9. 900 g

22. Mi vocabulario. Anota las palabras de la unidad que quieres recordar.

NOS GUSTÓ MUCHO

1. Escucha esta conversación entre dos amigos y complétala con las expresiones que faltan.

- Mira, y esto son las cataratas de Iguazú. *¡Qué lugar tan increíble* .... Estás en medio de la selva, rodeado de cascadas de agua...
- Sí, la foto es superchula. ¿Y esto qué es?
- Son las misiones jesuíticas de San Ignacio. Fuimos allí después de las cataratas, y el lugar *nos? me gustó mucho* . Esta puerta se conserva bastante bien.
- Sí, *¡Qué Original! ....* .
- Y aquí, haciendo una excursión por la zona fronteriza entre Argentina y Chile, en Los Andes. Subimos a un lugar que está a más de 4000 metros de altura. *¡Qué frío!* . Y en pleno verano, ¿eh? Pero *nos pasamos ~~genial~~ genial*
- Ay, y esto son pingüinos, ¿no?
- Sí, dimos un paseo al lado del mar y vimos muchos pingüinos. *Nos ~~parecieron~~ pareció* muy curioso. Esto es en la península de Valdés, una zona donde hay muchos animales de esos: pingüinos, lobos marinos...
- *¡Qué interesante.*

2. ¿Qué te gustaría hacer...

1. hoy?

   Me gustaría comer unas tapas buenas.

2. la próxima semana?

   Me gustaría comer unos piñonos en Granada.

3. después de este curso de español?

   Me gustaría hablar español mejor.

4. el año que viene?

   Me gustaría hacer buenas notas.

5. dentro de diez años?

   Me gustaría tener una buena carrera y casarse.

6. después de jubilarte?

   Me gustaría viajar lugares del mundo.

3. Lee otra vez los textos de la actividad 3 (pág. 97) y escribe unos textos parecidos describiendo tu disco, libro y película favoritos. Puedes buscar información en internet.

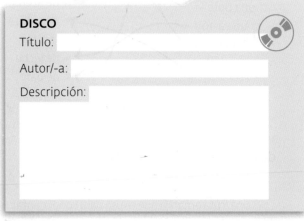

DISCO
Título:
Autor/-a:
Descripción:

LIBRO
Título:
Autor/-a:
Descripción:

PELÍCULA
Título:
Autor/-a:
Descripción:

4. Completa estas frases conjugando los verbos en pretérito perfecto o en pretérito indefinido. Fíjate en los marcadores temporales.

1

• Ayer Edith y yo (ir) _fuimos_ al teatro.
○ ¿Sí? ¿Qué (ver) ~~has visto~~ ~~visiste~~ _visteis_
• Una obra muy divertida de Lope de Vega. Nos (encantar) ~~encantamos~~ _encantó_

2

• Andrés, ¿(estar) _has estado_ alguna vez en Granada?
○ No, nunca. (estar) _he estado_ muchas veces en Andalucía, pero nunca en Granada.

3

• ¿Qué tal ayer? ¿Qué os (parecer) ~~Pareceis~~ _Pareció_ la exposición? ¿Os (gustar) ~~gustaron~~ _gustó_
○ A mí no me (gustar) _gustó_ demasiado.
• A mí tampoco me (parecer) _pareció_ muy buena, la verdad.

4

• El mes pasado mi marido y yo (ir) _Fuimos_ de vacaciones a Argentina.
○ ¿Y qué tal?
• Fantástico. (pasarlo) ~~Pasamos~~ _Pasé lo_ muy bien.

5

• ¿Conocéis el restaurante Las Tinajas?
○ Yo no, no (estar) ~~hemos~~ _estado_ nunca.
• Yo sí, (ir) _Fui_ hace dos semanas y no me (gustar) _gustó_ nada. Además, me (parecer) _pareció_ carísimo.

6

• ¿Y tú, Marcos, (estar) _has estado_ alguna vez en el museo Guggenheim?
○ Sí, sí que (estar) _he estado_. (estar) _Estuve_ por primera vez cuando lo inauguraron y luego (volver) ~~volver~~ hace dos años. _Volví_

7

• ¿Qué te (parecer) _pareció_ el concierto de ayer?
○ Un rollo. No me (gustar) _gustó_ nada.

8

• ¿Qué tal el viernes? ¿Adónde (ir) _fuiste_ ?
○ (ir) _Fui_ a un bar del centro, El Paquito.
• Lo conozco, me encanta. ¿Qué te (parecer) _pareció_ ?
○ Me (encantar) _encantó_. Es genial.

5. Escribe las formas correspondientes en pretérito perfecto o indefinido.

PRETÉRITO PERFECTO	PRETÉRITO INDEFINIDO
han dormido	durmieron
hemos ido	fuimos
he visto	vi
ha querido	quiso
habéis tenido	~~tuvieron~~ tuvisteis
han salido	salieron
ha habido	~~hubió~~ hubo
has puesto	~~pusiste~~ pusiste
he venido	~~vine~~ vine

6. Escribe frases sobre ti usando estos marcadores temporales.

esta mañana · ayer · este año · nunca
esta semana · el año pasado · muchas veces
alguna vez · anteayer · hoy · el otro día

Esta mañana he ido al dentista.

Ayer he ido al museo Arqueológico.
Este año he terminado mi primer año de colegio.
Nunca he sido bueno en las Matematicas.
Esta semana he comido en muchos restaurantes.
El año pasado he visitado Guatemala.
Muchas veces he escrito papeles por mis clases.
Alguna vez me gustaría viajar a ~~Africa~~ Israel.
Hoy yo fui a El Alcahzar por la Catedral.
Anteayer yo visité Trian con mi programa.
El otro dia yo compré ~~Metidas~~ por mi
habitacion.
Snacks

7. Este es el diario de Ricardo. Léelo y completa las frases usando **parecer**, **gustar**, **encantar**...

Martes **6** de marzo

Facultad: clase de Historia con Miralles, el profesor nuevo, muy interesante.

He intentado leer un artículo sobre la Bolsa, ¡qué cosa tan aburrida!

Exposición en el Centro de Arte Moderno, fotografías abstractas, un horror.

Al cine con Alberto: "El cielo gira". Buenísima, la mejor película que he visto este año.

Cena en un restaurante nuevo del centro, el Bogavante azul. El local es muy bonito y la comida no está mal, pero nada especial. Hemos ido Alberto, su novia Azucena y una amiga suya, Margarita... guapa, inteligente, simpática.

Fue a clase de Historia. Le pareció muy interesante.

Intentó leer un artículo de economía. Le pareció muy aburrida.

Fue a una exposición de fotografía. Le encantó la pelicula, y le pareció buenisima

Fue al cine a ver *El cielo gira*. Le pareció un horror. No le gustó nada

Fue a un restaurante nuevo. Le pareció muy bonito, y no le gustó ~~pero~~ no le gusto nada del otro mundo... encantó

Conoció a la amiga de Azucena. ~~Azucena~~ Le pareció guapa, inteligente, y simpática.

8. Relaciona estas frases con su continuación lógica.

1. Ana y Andrés me cayeron muy bien, **B**
2. Los cuadros de la exposición no me gustaron mucho, **A**
3. El restaurante me encantó, **F**
4. La hermana de Sergio me cayó muy bien, **D**
5. El museo no me gustó mucho, **E**
6. No me gustó cómo habló Matilde, **C**

 a. no son especialmente buenos.
 b. son muy simpáticos.
 c. es una maleducada.
 d. es muy divertida.
 e. no es muy interesante.
 f. la comida es buena y el ambiente, muy agradable.

1	2	3	4	5	6

9. Elige el pronombre correcto en cada caso.

1

- Ayer vimos *Mar adentro*. A mí me encantó, pero a Alfredo **la** / **le** / **se** pareció un rollo.

2

- El sábado fuimos al parque de atracciones y los niños **le** / **se** / **les** lo pasaron fenomenal.
- Pues a mis hijos no **les** / **los** / **le** gustó nada, no sé por qué.

3

- ¿Qué te parece la novia de Óscar?
- Pues **la** / **la** / **los** he visto solo una vez, pero **te** / **me** / **se** pareció muy maja.

4

- ¿Qué **te** / **le** / **les** ha parecido el vestido a tu madre?
- **La** / **se** / **Le** ha gustado pero dice que es demasiado serio, así que creo que **lo** / **la** / **los** voy a devolver.

5

- ¿Qué tal la cena del sábado?
- Pues no me **lo** / **le** / **se** pasé muy bien, la verdad. Es que vino también Alicia y ya sabes que **la** / **le** / **me** cae fatal.

10. Tristán, el protagonista de la actividad 8 de la página 103, tiene un hermano gemelo, Feliciano, que es alegre, optimista y siempre está de buen humor. Escribe cómo sería un email suyo contando lo que hizo el sábado pasado.

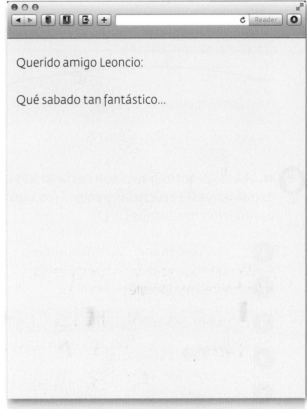

Querido amigo Leoncio:

Qué sabado tan fantástico...

SONIDOS Y LETRAS

Las frases exclamativas

Expresan una emoción o actitud ante algo (sorpresa, alegría, enfado, etc.). También se usan para influir sobre los demás. Tienen una entonación enfática pero descendente.

Se representan con los signos ¡ !.

11. ¿Las siguientes frases son declarativas o exclamativas? Escúchalas y coloca los signos de puntuación necesarios (. / ¡ !).

1. ..... Ayer cené en un restaurante buenísimo .....
2. .... Me lo pasé genial en la fiesta .....!
3. .... Hemos estado en Málaga .....
4. .... Me encantó esa película .....
5. ..... Los padres de Marta me caen fatal .....
6. ..... *El señor de los anillos* es mi película favorita .....
7. .... Es la ciudad más bonita del mundo .....!
8. ..... Ayer no fui a clase .....
9. ..... Me pareció excelente .....
10. ..... Tu novia me cayó muy bien .....

12. Fíjate en las frases declarativas de la actividad anterior y léelas como si fueran exclamativas. Después, escucha el audio y comprueba si lo has hecho igual.

LÉXICO

13. Busca adjetivos en la unidad para valorar y describir estas cosas y escríbelos en el cuadro.

LUGARES	PELÍCULAS	LIBROS

14. Reacciona a estas situaciones usando una frase exclamativa con **qué**. Utiliza estos adjetivos y sustantivos.

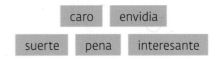

caro   envidia

suerte   pena   interesante

1. Esta tarde me voy a hacer un masaje de 2 horas.
   ¡Que envidia me das!

2. Mi novia es actriz. Ha participado en muchas películas.
   ¡Que interesante!

3. A mi padre le ha tocado la lotería... ¡dos veces!
   ¡Que suerte!

4. ¿Te gusta este pañuelo? Es una edición limitada de Hermès. Cuesta 1200 euros.
   ¡Que caro!

5. Finalmente no me han dado el empleo.
   ¡Que pena!

15. Completa cada frase de manera lógica con una de las siguientes palabras.

bien	increíble	buenísima	buenísimo
	rollo	genial	maravilla

1. El verano pasado me lo pasé ~~bien~~ *buenísimo* *genial*

2. El domingo conocí a los padres de Elena y me cayeron muy *bien* .

3. La película me pareció un *rollo* .

4. Estuvimos en el Taj Mahal. ¡Ese lugar es una *Maravilla* !

5. Ver el atarceder desde esa playa es una experiencia *increíble* .

6. Prueba la paella. Está *buenísima*

7. Es un libro ~~genial~~ *buenísima* . Lo leí de un tirón en una noche.

16. Completa con información sobre ti.

1. Un lugar donde me lo pasé fenomenal:
   Me lo pasé ~~muy bien~~ Chitzinstza, Mexico

2. Una comida buenísima:
   Torillitas de Camarones

3. Una persona que me cae muy bien:
   ....

4. Una película que me encantó:
   ....

5. Un lugar maravilloso: Chattanooga, Tenessee
   Sevilla Spain, Quetzaltenango, Guatemala

6. Un museo que me gusta mucho:
   Museo de Arqueologico en Madrid

17. Mi vocabulario. Anota las palabras de la unidad que quieres recordar.

ESTAMOS MUY BIEN

1. Lee el texto de la actividad 2 de la página 108. Luego, relaciona elementos de las dos columnas para formar frases coherentes.

Para cuidar los ojos...	tienes que ponerte gafas de sol en verano.
Para proteger el pelo del sol...	tienes que comer muchas frutas y verduras.
Para cuidar los pies...	caminar 30 minutos al día.
Es muy bueno para las piernas...	lo mejor es dormir de lado.
Hacer natación va bien...	para fortalecer la espalda.
Para cuidar la espalda...	debes utilizar siempre un calzado cómodo.
Si quieres tener un pelo sano...	tienes que cubrirte la cabeza con un gorro.

2. ¿Qué podemos hacer para llevar una vida sana? Busca información en internet y completa las frases.

Debes ....
....

Tienes que ....
....

Intenta ....
....

Es bueno ....
....

No es bueno ....
....

Puedes ....
....

Lo mejor es ....
....

3. Elige la opción adecuada en cada caso.

1. No se encuentra bien, ... la cabeza.

   ☐ tiene dolor de ☐ le duelen ☑ le duele

2. Mónica no se encuentra bien, ha venido en barco de Mallorca y está muy ....

   ☐ mareado ☑ mareada ☐ mareo

3. Ha caminado cinco horas con unos zapatos nuevos y, claro, ahora .... los pies.

   ☐ tiene dolor de ☑ le duelen ☐ le duele

4. ¡Cómo .... las piernas! Voy a sentarme un rato.

   ☐ tengo dolor de ☑ me duelen ☐ me duele

5. Han comido mucho y ahora .... estómago.

   ☑ tiene dolor de ☑ les duele ☐ le duelen

6. Óscar tiene que ir al médico, está ....

   ☐ enferma ☐ enfermedad ☑ enfermo

4. Escribe estas preguntas en la conversación correspondiente.

Tienes mala cara. ¿Estás bien?

¿Y te duele mucho?

¿Qué te pasa?

¿Qué tal? ¿Estás mejor?

¿Qué te ha pasado?

1
- ¿Tú no comes nada? *¿Que te pasa?*
- No, nada, es que estoy cansada y no tengo hambre.

2
- ¡Uy! *¿Que te ha pasado?*
- Que me he caído de la escalera y me he roto un dedo, ya ves...
- ¡Vaya! *¿Y te duele mucho?*

3
- *¿Qué tal? Estás mejor?*
- Sí, un poco. Ya no tengo fiebre.
- Bueno, me alegro.

4
- *Tienes mala cara. ¿Estás bien?*
- No es nada, es que anoche estuve toda la noche de fiesta y no he dormido, y estoy muerto de sueño.

5. Escribe qué problemas de salud sueles tener y qué haces para prevenirlos o para curarte.

PROBLEMAS	¿QUÉ HAGO?

6. Lee el siguiente texto sobre el estrés. Luego escribe cuáles son, según el texto, las causas y las posibles soluciones.

LA ERA DEL ESTRÉS

Las personas que nunca han sufrido estrés son una especie en extinción. La mayoría de la población asegura que lo padece o que lo ha padecido en algún momento de su vida.

LOS PROBLEMAS EN EL TRABAJO

Problemas laborales, familiares y de salud son las tres causas principales de este trastorno, según un estudio de la Organización de Consumidores y Usuarios. Pero no son las únicas. Vivir un acontecimiento personal importante, los problemas financieros, el rendimiento escolar o el tráfico son también circunstancias que normalmente generan estrés.

Para combatirlo, un 1% de los afectados recurre a los medicamentos. Aunque generalmente no lo consideran una medida muy satisfactoria ni eficaz, resulta más cómodo que otros remedios. Entre ellos, destacan hacer deporte, cambiar el estilo de vida e ir a terapia con un especialista.

CAUSAS	SOLUCIONES

7. Completa con el presente de **ser** y **estar**.

1. Alicia _es_ una mujer extraordinaria.

2. No quiero salir. _Estoy_ cansado.

3. ¡La ventana _está_ abierta! ¿Quién la ha dejado así?

4. ¿Dónde _está_ el jersey amarillo? _Es_ el que más me gusta y no lo encuentro.

5. Mi marido _es_ alemán, de Dortmund.

6. ¿Quién _es_ esa chica que _está_ sentada ahí?

7. La casa _está_ muy desordenada, mis hijos _son_ un desastre.

8. Mi jefa _es_ una mujer muy dinámica pero trabaja demasiado y _está_ siempre agotada.

9. _Es_ un pueblo muy bonito, pero _está_ muy lejos de la ciudad.

8. ¿Cuáles de las palabras de la primera columna pueden acompañar al verbo **ser**, cuáles al verbo **estar** y cuáles a ambos? Márcalo y escribe un ejemplo para cada caso.

	SER	ESTAR	EJEMPLOS
bueno/-a	X	X	La última película de Spielberg es muy buena. Esta sopa está muy buena.
guapo/-a	X	X	Él es muy guapo. Estás muy guapa hoy
bien		X	Estoy bien. Está bien.
cansado/-a	X	X	Está cansado porque ha trabajado mucho hoy.
raro/-a	X	X	Eso es muy raro. Estás muy raro hoy.
arquitecto/-a	X		Él es un arquitecto.
estresado/-a	X	X	→El está siempre estresado. Estoy estresado porque voy a tomar un examen.
triste	X	X	Ella es no fuerte, ella es triste. Ahora está muy triste porque ella no ha comido.

9. Completa con las formas del imperativo afirmativo.

	COMPRAR	COMER	VIVIR
(tú)	compra	come	vive
(vosotros/ vosotras)	comprad	comed	vivid
(usted)	compre	coma	viva
(ustedes)	compren	coman	vivan

	PENSAR	DORMIR	PEDIR
(tú)	piensa	duerme	pide
(vosotros/ vosotras)	pensad	dormid	pedid
(usted)	piense	duerma	pida
(ustedes)	piensen	duerman	pidan

10. ¿A qué infinitivo corresponde cada una de estas formas del imperativo? Escríbelo.

1. Haz ⟶ hacer
2. Pon ⟶ poner
3. Ven ⟶ venir
4. Di ⟶ decir
5. Sé ⟶ ser
6. Ve ⟶ ir
7. Sal ⟶ salir

11. Estas son frases de algunas campañas de salud. Complétalas con el verbo adecuado en imperativo, en la forma **tú**.

ser	usar	beber	comer
pensar	hacerse	respetar	disfrutar

1. **Campaña contra el calor:** ¿No tienes sed? No importa, bebe agua.

2. **Campaña de prevención de enfermedades de transmisión sexual:** disfruta sin riesgo. Usa preservativo.

3. **Campaña de seguridad vial:** Respeta las señales.

4. **Campaña contra la anorexia:** _____ en ti, no en los demás. Come para vivir.

5. **Campaña de prevención contra el cáncer:** Un día puede ser demasiado tarde. Sé precavido. Hazte pruebas.

12. En un programa de radio, una doctora da consejos a un paciente que a menudo está afónico. Completa los cuadros con los consejos que da la doctora.

66

Consejos para prevenir la afonía

Tiene que aprender a control la voz y para eso va muy bien hablo bajo

Debe intentar no chichar
Tiene que dejar de fumar porque es mal para gargarte
Debe evitar beber bebidas frías

Remedios para tratar la afonía

Tiene que tomar infusiones de zumo de limón, dormillo, miel, vaso de agua
Tiene que comer
o beber zumo de limón, vaso de agua
porque es bueno para la salud

13. Lee este email dirigido al consultorio de la revista *Salud* y escribe una respuesta. ¿Qué le recomiendas al chico que lo ha escrito?

¡Hola!
Soy un chico de 27 años y les escribo para pedirles consejo. El año pasado tuve un accidente de coche y estuve más de dos meses en el hospital. Luego pasé cuatro meses más en casa, sin ir al trabajo, sin salir mucho y... ¡¡¡engordé 20 kilos!!! Ahora estoy bastante recuperado del accidente (solo tengo algunos dolores de espalda), pero 20 kilos de más son muchos kilos. He intentado adelgazar de todas las maneras posibles: he comprado ese aparato que anuncian en la televisión para hacer gimnasia en casa, he tomado unas infusiones adelgazantes a base de hierbas naturales y, todos los días, antes del bocadillo de las 11 h y antes de la merienda, tomo uno de esos batidos de fresa que dicen que adelgazan... Pero nada. ¿Qué puedo hacer?

SONIDOS Y LETRAS

14. Lee en voz alta estas series de palabras. ¿Cómo las pronuncias? Luego escucha y comprueba si lo has hecho igual.

67

1. quitar - quita - quítate
2. lavar - lava - lávate
3. cubrir - cubre - cúbrete
4. hidratar - hidrata - hidrátalos
5. secar - seca - sécalos
6. relajar - relaja - relájate

Recuerda que las palabras esdrújulas siempre llevan tilde: **pá**jaro, te**lé**fono, re**lá**jate.

LÉXICO

15. Coloca en este dibujo los nombres de las partes del cuerpo señaladas. Puedes utilizar el diccionario.

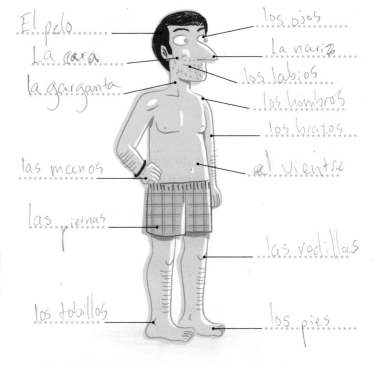

El pelo
los ojos
La cara
La nariz
la garganta
los labios
los hombros
los brazos
las manos
el vientre
las piernas
las rodillas
los tobillos
los pies

16. En la página 116, busca los deportes que corresponden con las siguientes descripciones. A continuación, escribe tú descripciones de otros tres deportes.

1. Es un deporte de raqueta. Se juega en parejas en una pista rectangular totalmente cerrada.
   ....

2. Se juega por equipos (dos de 11 personas). El balón no se puede tocar con las manos. ....

3. Se practica en una piscina. ....

4. Se hace al ritmo de bailes latinos, como la salsa, la cumbia o el merengue. ....

5. Se practica debajo de la superficie del mar.
   ....

Deporte: ....

Descripción: ....

....

....

....

Deporte: ....

Descripción: ....

....

....

....

Deporte: ....

Descripción: ....

....

....

....

17. Relaciona **estar** y **tener** con las palabras de la derecha para formar problemas de salud.

- migraña
- tos
- acné
- estar
- náuseas
- tener
- resfriado/-a
- anemia
- afónico/-a

18. ¿Con qué partes del cuerpo asocias los problemas de la actividad anterior?

....

....

....

....

....

....

....

19. Mi vocabulario. Anota las palabras de la unidad que quieres recordar.

INFORMACIÓN ÚTIL

¡BIENVENIDO A ESPAÑA!

Lee esta información útil para tu estancia en España.

Población e idiomas

España cuenta con una población de 47 millones de habitantes. El idioma oficial en toda España es el castellano o español. Son oficiales también, en sus respectivas comunidades autónomas: el catalán y valenciano (Cataluña, Islas Baleares y Comunidad Valenciana), el gallego (Galicia) y el vasco o euskera (País Vasco).

Horarios comerciales

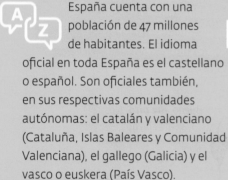

Los comercios suelen abrir de lunes a viernes entre las 9.30 / 10 h hasta las 13:30 / 14 h y de 16:30 / 17 hasta las 20 / 20:30 h. Generalmente cierran los sábados por la tarde y los domingos. En las zonas turísticas y en el centro de las grandes ciudades no suelen cerrar hasta las 22 h y tampoco cierran a mediodía.Los restaurantes sirven comidas normalmente desde las 13:30 hasta las 16 h y cenas desde las 20:30 a las 23:30 h, aunque en los meses de verano suelen ser más flexibles en sus horarios. Los bares y cafeterías abren todo el día. Los bares de copas están abiertos hasta las 3 h de la madrugada. Las discotecas suelen estar abiertas desde medianoche hasta las 5 / 6 h de la mañana

Tasas e impuestos

El IVA (Impuesto sobre el Valor Añadido) grava la mayoría de artículos y servicios. Es normalmente de un 21 % sobre el valor del producto. En el precio de las etiquetas en las tiendas ya está incluido el IVA.

Salud

En caso de urgencias médicas se puede llamar al 061. Sin embargo, este número puede cambiar de una comunidad a otra. Es recomendable viajar con un seguro médico a pesar de que existen acuerdos para asistencia sanitaria gratuita con la mayoría de los países miembros de la Unión Europea. Las farmacias están abiertas de 9:30 a 14 h y de 16:30 a 20 h. Fuera de ese horario funcionan las farmacias de guardia, que están abiertas las 24 horas del día. Todas las farmacias exhiben la lista de las farmacias que están de guardia e indican la más cercana. La lista se publica también en los periódicos

Policía y asistencia al ciudadano

En la mayoría de las comunidades, el número de emergencia para la Policía Nacional es el 091, y para la policía municipal, el 092. Para cualquier tipo de emergencia existe un número de asistencia al ciudadano: es el 112.

Webs de interés

renfe.com (ferrocarriles)
aena.es (Aeropuertos Españoles y Navegación Aérea)
dgt.es (Dirección General de Tráfico)
correos.es (Correos)
eltiempo.es (información meteorológica)
rae.es (Real Academia Española de la Lengua)

Transporte

Para conducir en España es necesario tener 18 años. Para alquilar un coche, 21. Los conductores de países miembros de la UE, Suiza, Noruega, Islandia y Liechtenstein solo necesitan llevar el carné de conducir de su país. Los conductores de otros países necesitan un permiso internacional de conducción. Los aeropuertos con un mayor número de vuelos diarios son el de Barajas (en Madrid), el del Prat (en Barcelona), el de Palma de Mallorca y el de Málaga. Iberia, Vueling y Air Europa son compañías que ofrecen vuelos entre ciudades españolas. Renfe es la compañía nacional de trenes en España. El AVE es el tren de alta velocidad y conecta las principales ciudades (Barcelona, Sevilla y Valencia) con Madrid.

Comunicaciones

Para llamar a España desde otro país, hay que marcar +34 (código de España) y, a continuación, un número de teléfono de 9 cifras. Para hacer llamadas internacionales desde España es necesario marcar 00 y, a continuación, el código del país y el número de teléfono. Para realizar llamadas dentro de España solo hay que marcar el número sin ningún prefijo. Este número siempre tiene 9 cifras, sea un teléfono fijo o un móvil.

EL CÓMIC DE AULA

EL ESPAÑOL QUE NO SE ENSEÑA EN CLASE

Monika está estudiando español en España y comparte piso con Marcos, un chico español.

SI QUIERES CONSOLIDAR EL NIVEL **A2**, TE RECOMENDAMOS:

PREPARACIÓN PARA EL DELE

Las claves del nuevo
DELE A2

SI QUIERES EMPEZAR CON EL NIVEL **B1**, TE RECOMENDAMOS:

PREPARACIÓN PARA EL DELE

Las claves del nuevo
DELE B1

Y ADEMÁS:

NUEVA APP DE GRAMÁTICA ESPAÑOLA PARA IPAD Y TABLETAS ANDROID

http://appdegramatica.difusion.com